목차

프롤로그
아직도 100만원 주고 1만원어치만 누리고 계신가요?

복지관 스마트폰 봉사를 다니면서 어르신들이 배우고 기뻐하시는
모습을 보았습니다.
전화를 켜고 끄는 것부터 배우시던 분들이 시간이 흐르면서
기뻐하시고 스마트폰에 익숙해져 가시는 것을 알 수 있었습니다.

세상이 배울것이 많아졌습니다.
익숙해진 삶에 그냥 살고 싶지만 그러기엔 불편함이 따릅니다.

자녀들이 바쁘다 보니 기다렸다가 물어 보는 것도 미안하고 쉽지 않습니다.
직접 배우다 보면 새로운 즐거움을 알아 가실 수 있으리라 생각합니다.

이제 스마트폰은 몸에 일부가 되었습니다.
잠시라도 떨어지면 세상과의 소통이 끊긴 듯 합니다.

이책은 스마트폰의 기본부터 천천히 배울수 있도록 되어 있습니다.
도움이 되시면 좋겠습니다.

chapter01.스마트폰 기본 설정 딱 이렇게만 하세요,

1.연결 wi-fi 블루투스 연결

무선 이어폰을 쓰기 위해서는 기기끼리 서로 연결이 되어야 합니다.
특정 장소나 공공장소에서 와이파이 연결을 하기 위해서는 내 스마트폰의 위치 정보가 켜져 있어야 합니다. 위치를 켜 주십시요.

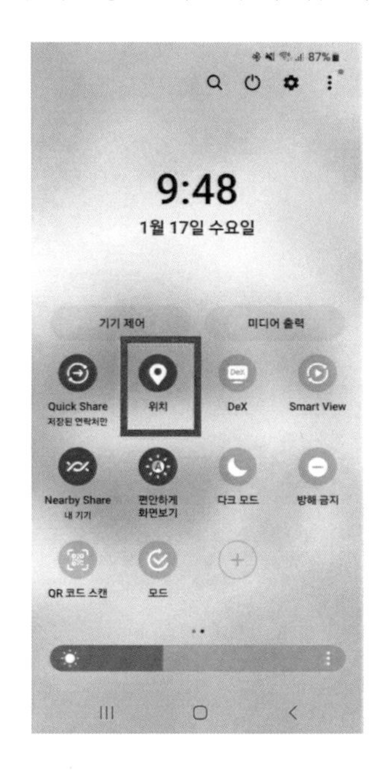

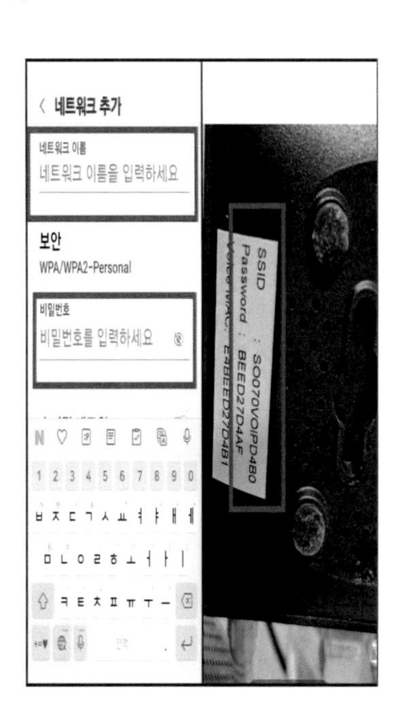

와이 파이 연결을 해 보겠습니다.

상단 톱니바퀴 모양 설정를 누릅니다.
연결을 누릅니다— wi-fi설정을 누릅니다- 하단의 더하기 표시 네트워크 추가를 누릅니다-네트워크 이름을 입력합니다 -비밀번호를 입력합니다.

블루투스 연결입니다.

상단 톱니바퀴 모양 설정을 누릅니다.
연결을 누릅니다-블루투스 설정을 합니다-연결 가능한 기기를 찾아 연결 합니다

2.소리및 진동

톱니 바퀴 모양 설정을 누릅니다.
소리 진동 무음 세가지의 설정이 있습니다.
원하시는 것을 선택합니다.
소리를 선택 하셨을때 벨소리 음량을 조절 할 수 있고 진동 세기를 선택 할 수 있습니다.
무음은 시간 설정이 가능 합니다. 조용한 곳에 머물러야 할 때에 일정 시간 무음으로 해 두시면 시간이 지났을때 진동이나 벨소리로 다시 돌아 오게 됩니다.

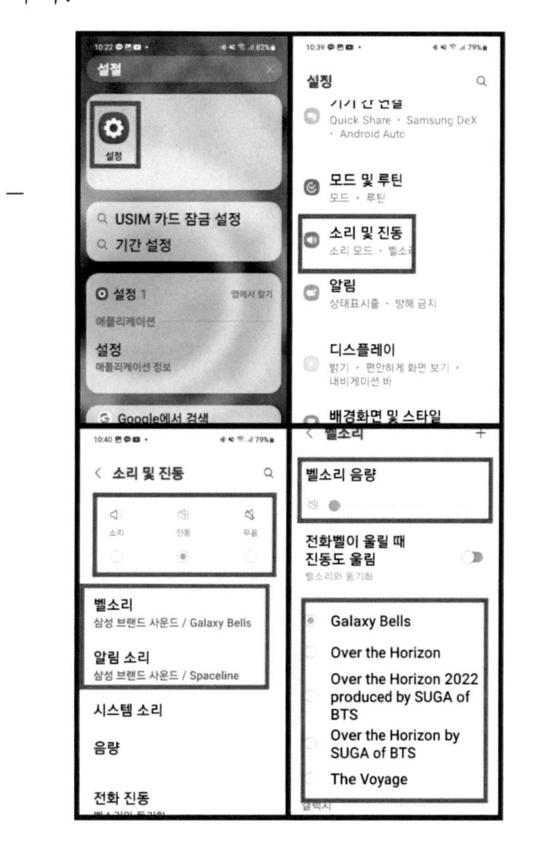

설정-소리 및 진동-벨소리 음량 조절
무음 선택시-시간 설정

3.디지털 웰빙

디지털 웰빙 및 자녀 보호 기능에서 하루동안 스마트폰을 얼마나 사용 했는지 어떤 앱을 사용했는지를 알 수 있습니다.
하루종일 스마트폰을 손에서 놓지 못하는 경우가 있습니다.
디지털 엘빙에서 시간 설정을 할 수 있습니다.

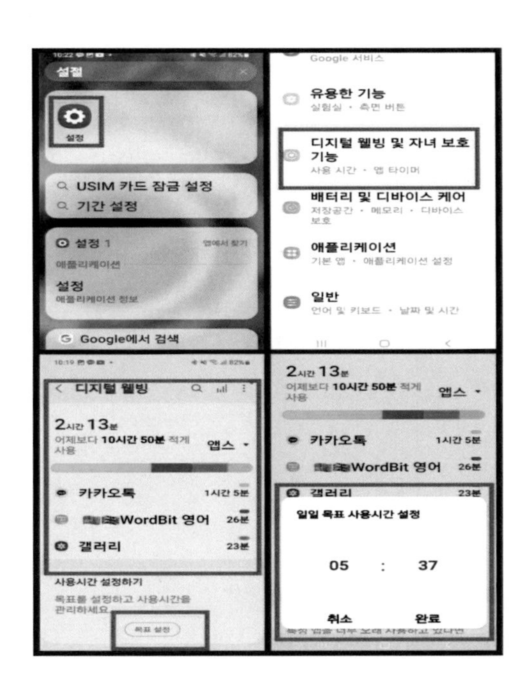

설정 디지털 웰빙 및 자녀 보호 기능–목표 설정–일일 목표 사용시간 설정

4.디스플레이 화면 발기 조절

환경 설정을 눌러 보면 메뉴가 많습니다.
그중에서 디스플레이를 누릅니다.
밝기를 좌우로 움직여 봅니다. 오른쪽으로 갈수록 밝아집니다.
너무 밝게 하면 배터리가 빨리 없어지고 눈의 피로가 빨리 오는 단점이 있습니다.

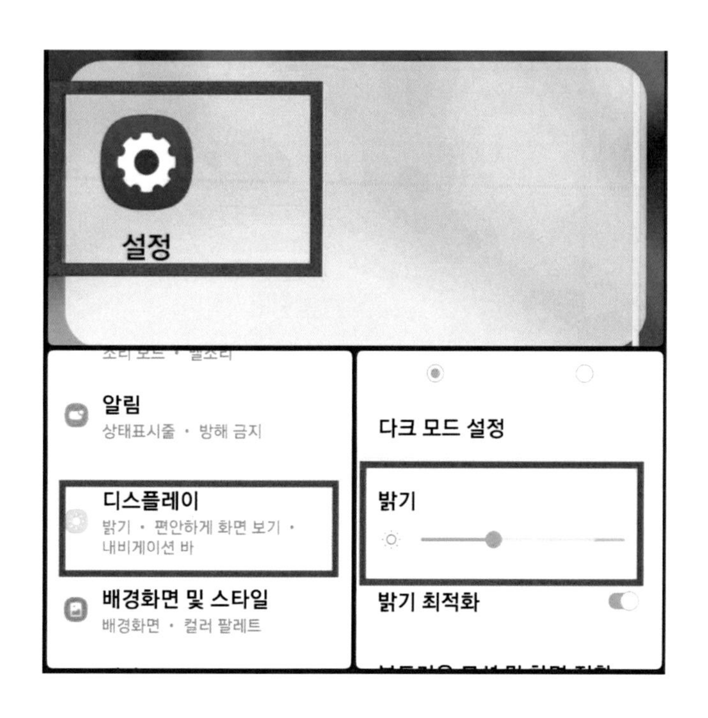

설정-디스플레이-밝기 조절

5.연락처 저장 /연락처 삭제

-연락처를 저장 하고 삭제 해야 하는 경우가 있습니다.
알아 보겠습니다.

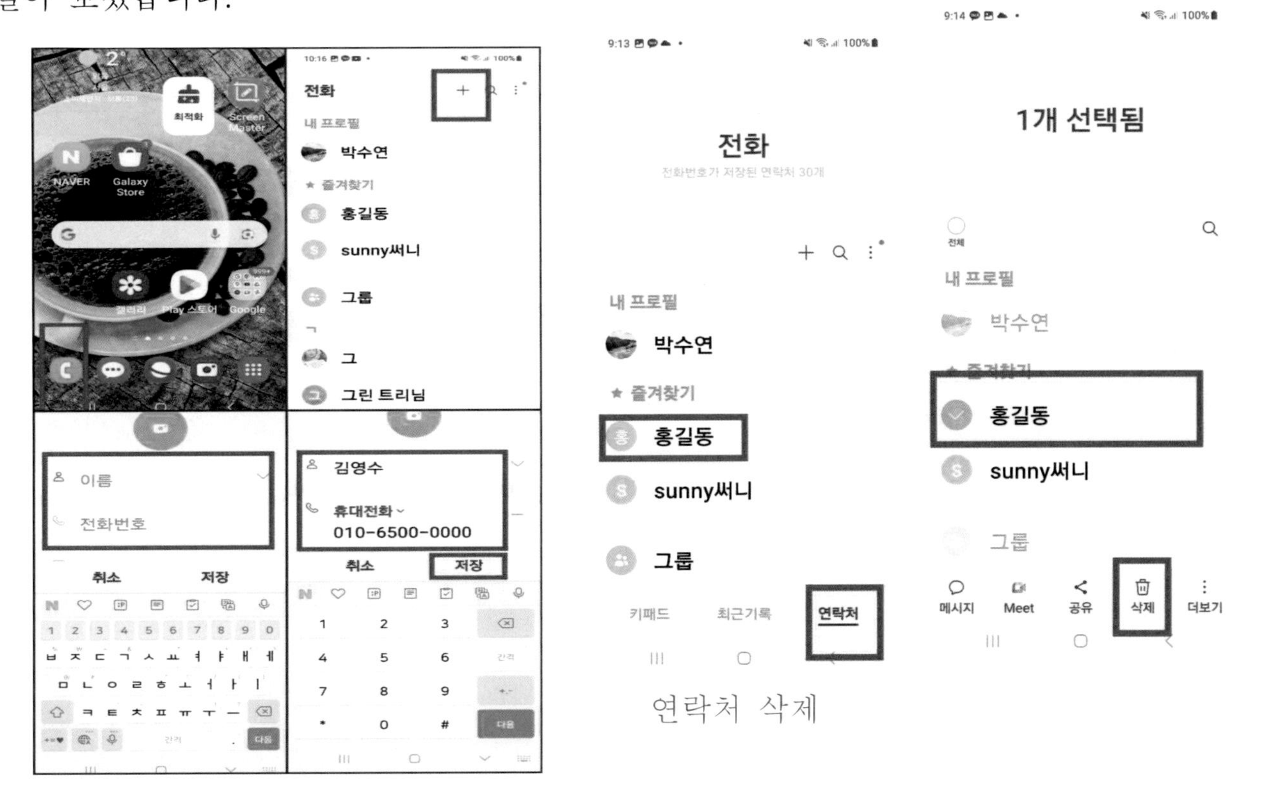

연락처 삭제

연락처 저장

저장 하고 싶은 번호가 있다면 오른쪽 상단에 더하기 버튼을 누릅니다.
새 연락처 등록을 누릅니다.
이름을 입력해 주시고 전화번호를 적습니다.
저장을 누릅니다.
홈화면 전화기 모양 누른다-오른쪽 상단 더하기누른다-이름/전화번호 적는다/저장 누른다.

연락처 삭제

연락처가 필요 없다 싶어 지우고 싶을때 삭제를 알아 보겠습니다.
하단에 연락처에 들어 가셔서 지우고 싶은 이름을 꾹 누릅니다.
아래 삭제를 누릅니다.
오른쪽 하단 연락처-지우고 싶은 이름 꾹 누른다-삭제 누른다

6.딘측 번호 저장

단축 번호을 해 보겠습니다.
특정 번호를 누르면 그 사람에게 바로 전화가 걸릴 수 있는 설정입니다.

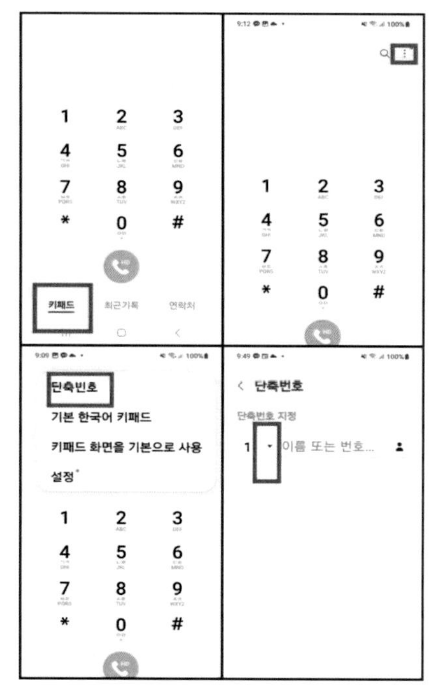

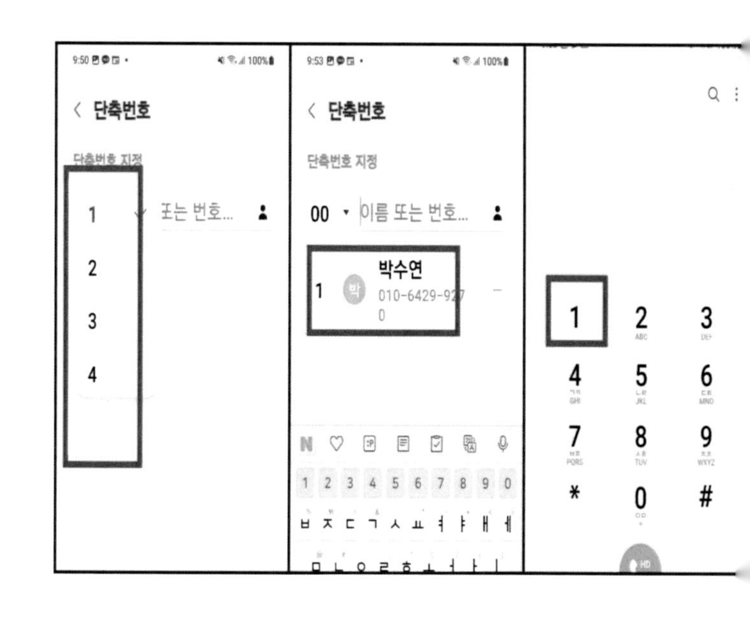

키패드가 보이는 화면 오른쪽 상단에 점세개가 보입니다. 눌러 보시면 단축번호가 있습니다. 아래로 향하는 표시를 꾸욱 누르시면 몇번을 선택 할지 숫자가 나옵니다. 원하는 번호에 설정할 이름을 넣어 주시면 단축번호가 설정이 됩니다. <예;1번> 다시 키패드로 돌아 와서 설정된 번호를 눌러 봅니다.1번을 꾹 누르시면 설정 된 번호로 전화가 가게 됩니다.

키패드 화면-위에 점세개-단축번호-원하는 번호 설정-키패드로 돌아와 설정 번호 누름

chapter02 스마트폰 이거 안하면 느려지고 고장납니다.

1.디바이스 케어/저장 공간 늘이기

스마트폰을 사용하다 보면 느려지는 경우가 있습니다..
이런 경우 스마트폰을 좀 더 쾌적하게 사용 해 보는 방법을 알아 봅니다.

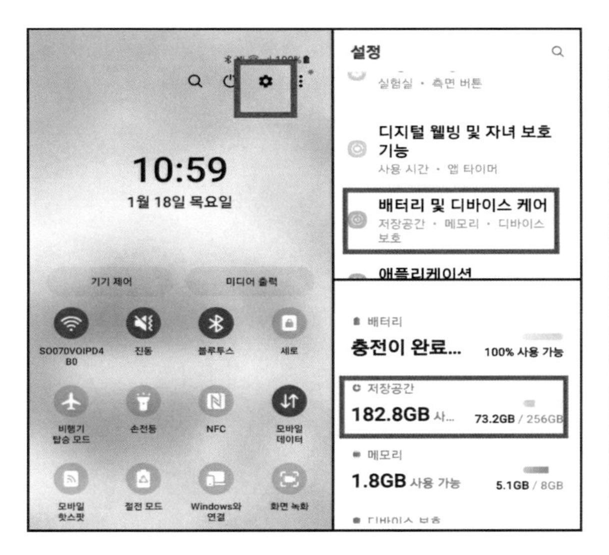

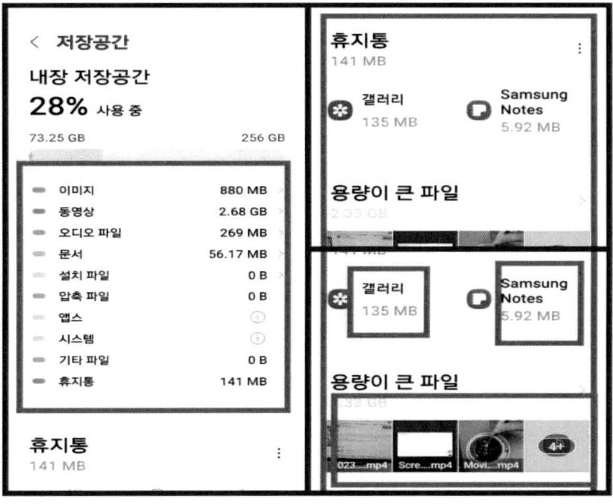

.

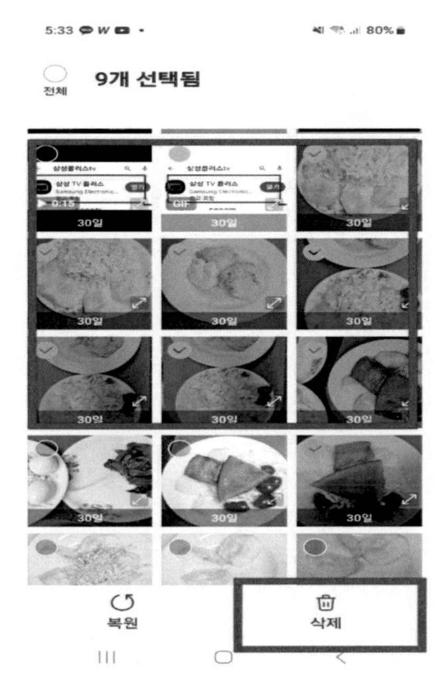

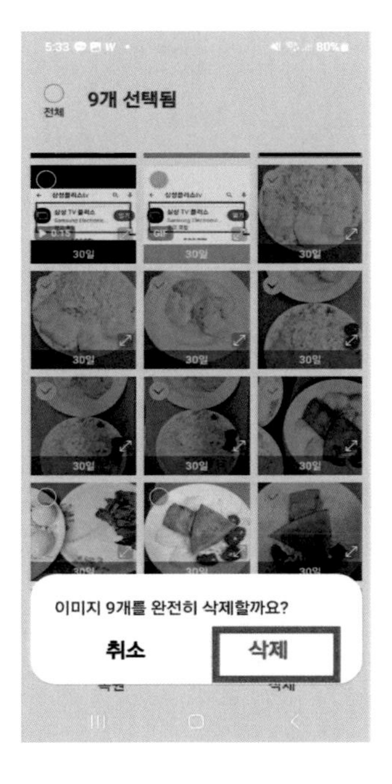

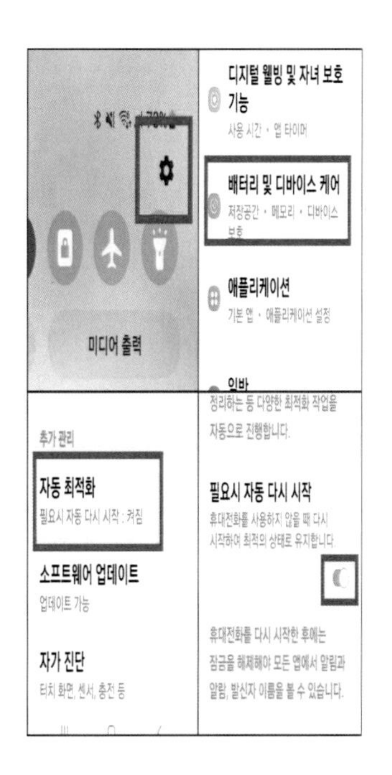

1.설정-배터리및 디바이스 케어-저장 공간-휴지통/갤러리 동영상 선택
2.설정-배터리및디바이스케어-자동 최적화-필요시 자동 다시 시작 활성화

2.카카오톡 전체 오픈방 데이터 삭제

카카오톡을 쓰다 보면 오픈 채팅방이 많아지는 경우가 있습니다.
하루에도 수많은 대화와 영상이 쌓이게 됩니다.

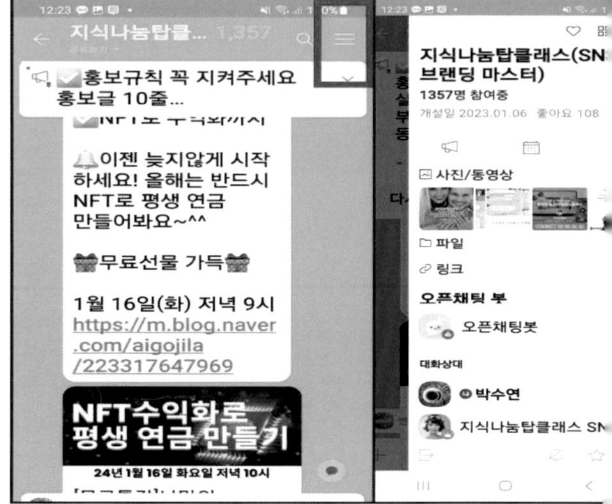

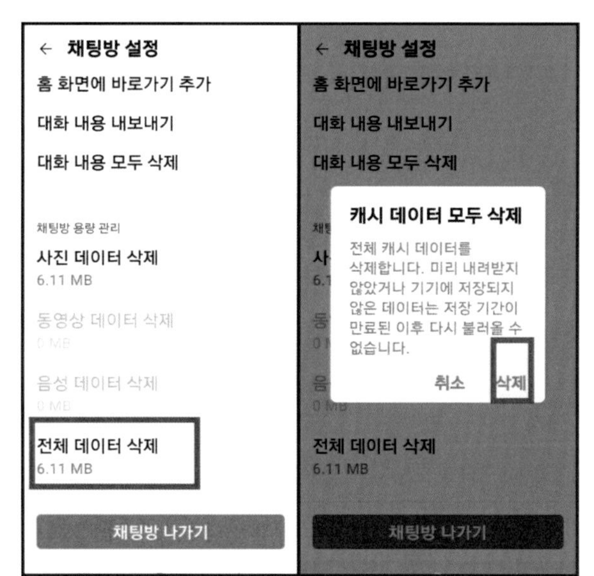

이럴 경우 데이터를 삭제하고 내 휴대폰을 편하게 해 주는 방법을 알아 보겠습니다.
카톡 -오픈 채팅방 선택-오른쪽 상단 삼선-오른쪽 하단 톱니바쿠 모양설정 -전체 데이터 삭제-삭제

chapter03.스마트폰으로 다른 시니어보다 카메라 멋지게 찍는 방법

1.음식사진 먹음직스럽게

같은 음식이라도 맛이 있어 보이는 사진은 식욕을 불러 일으킵니다.
외식을 하거나 특별한 날에 음식사진을 카메라에 담고 싶을 때가 있습니다.
카메라의 기능 하나만 더했을 뿐인데 사진이 달라질 수 있습니다.

카메라-더보기-음식

2.싱글테이크/동영상 음악 자동 추가

싱글 테이크는 카메라 기능 중에 한 가지 기능입니다.
사진과 동영상을 찍을 수 있습니다.

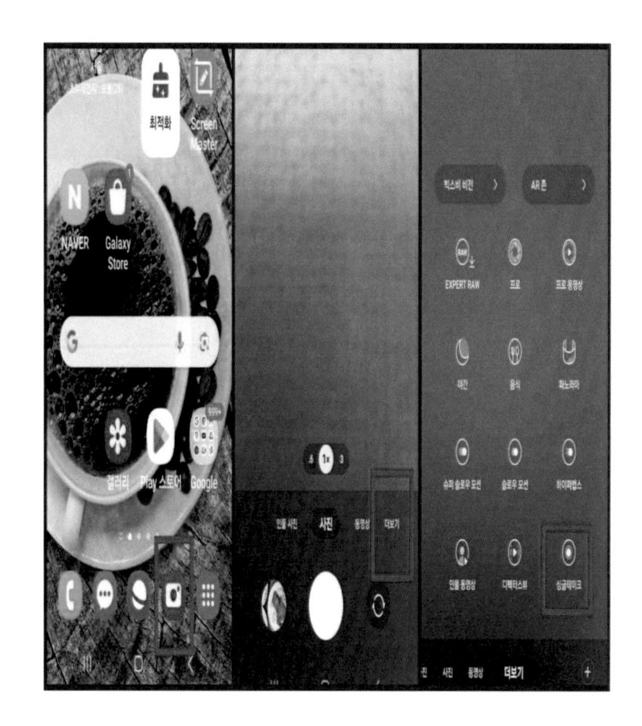

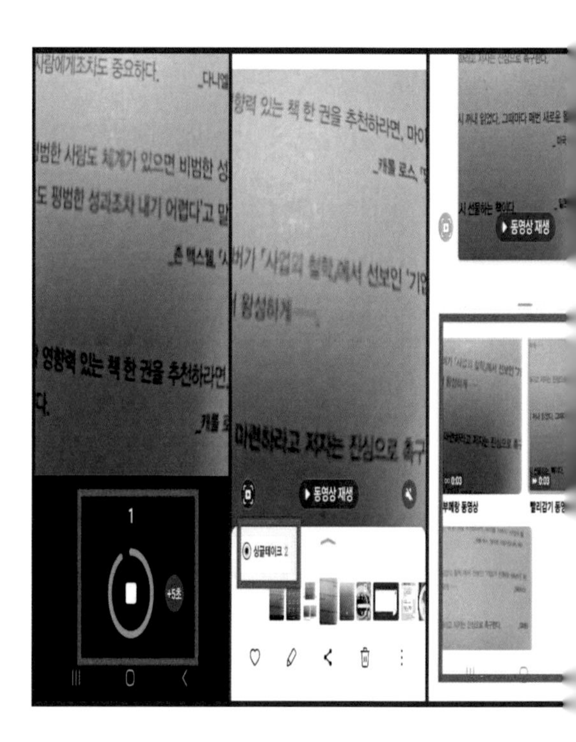

카메라의 더보기에서 사용 할 수 있습니다.
10초의 동영상이 만들어지고 음악이 자동 들어 갑니다.

카메라-더보기-싱글테이크-동영상 촬영-갤러리에 저장

chapter04. 스마트폰으로 영화도 만들고 짤영상도 만든다고요?

1.영화 만들기

스마트폰 갤러리의 자체 기능으로 동영상을 만들수가 있습니다.
갤러리의 있는 사진으로 쉽게 영상을 만들어 사용 할 수 있습니다.

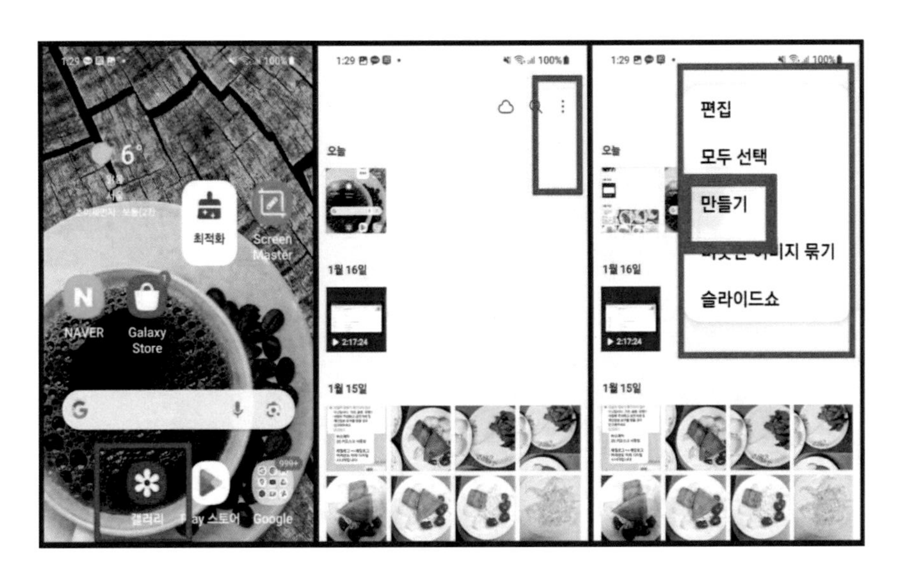

갤러리 앱을 실행합니다.
오른쪽 상단 점세개를 누릅니다.
만들기를 누릅니다.

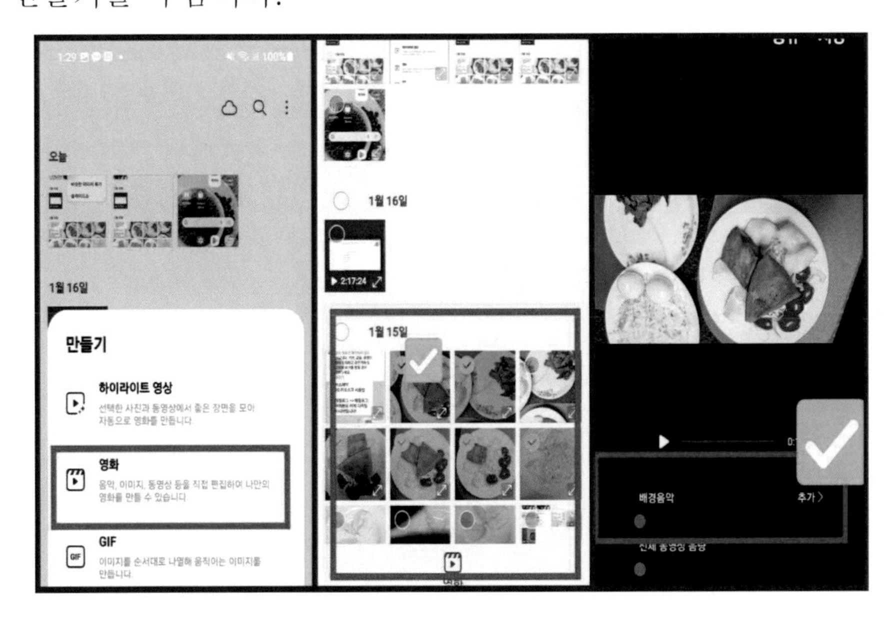

영화를 누릅니다.

사진을 선택한 후 하단의 영화를 누릅니다.
배경 음악 추가를 누릅니다.
마음에 드는 배경 음악을 고릅니다.

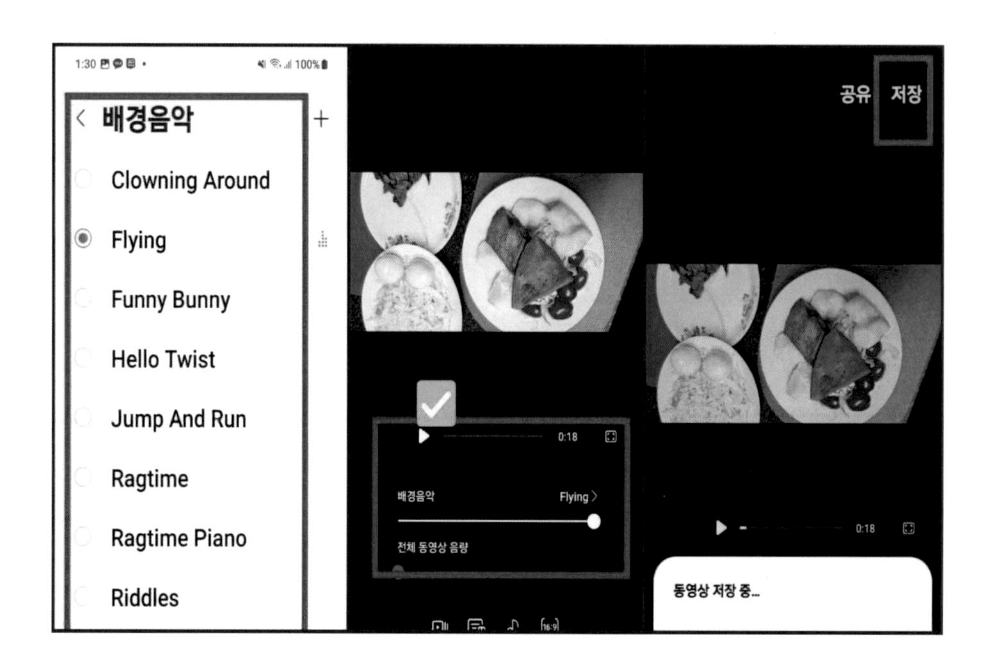

배경 음악이 잘 들어 갔는지 확인하여 봅니다.잘 되었다면,
오른쪽 상단의 저장을 누릅니다.

갤러리-오른쪽 상단 점 세개-만들기-영화-사진 선택후 하단 영화
-배경음악-영화를 고름-음악 확인 후-저장

2.gif 만들기/ 움짤

갤러리에서 움직이는 사진 만들기가 있습니다.
별도의 앱없이 쉽게 만들수 있습니다.

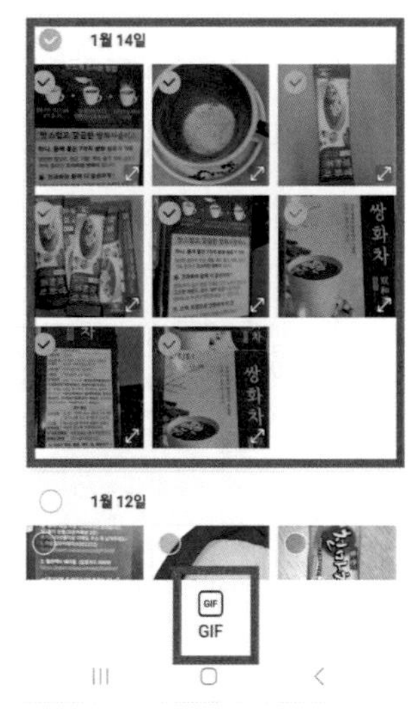

–

갤러리–만들기–gif–사진 선택후 하단gif 선택–영상누른다–영상 속도 설정–저장

3.앨범 만들기

갤러리에서 사진첩을 만들어 보겠습니다.
하단에서 앨범을 눌러 보면 사진이 묶여 있습니다.
카카오톡.스크릿샷 다운로드된 사진들이 묶여 있습니다.
자신만의 앨범을 만들어 보겠습니다.

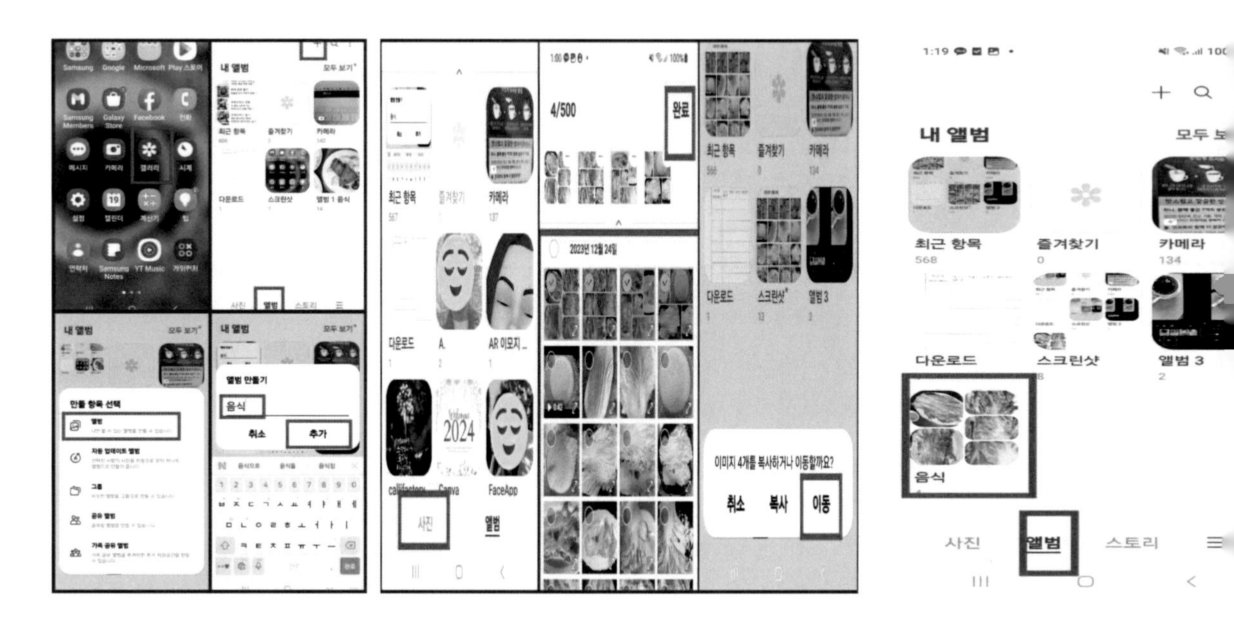

홈화면 갤러리를 터치 합니다. 오른쪽 상단의 더하기 버튼을 누르면 앨범이 나옵니다. 앨범 만들기에서 이름을 정해 주고 추가를 해 줍니다.
왼쪽 하단의 사진을 눌러 원하는 사진을 선택 후 오른쪽 상단 완료를 누릅니다.이동을 누르면 원하는 앨범이 만들어집니다.

갤러리-하단 앨범 설정-오른쪽 상단 더하기-앨범-앨범 만들기 이름-추가-왼쪽 하단 사진 설정-사진선택-오른쪽 상단-완료-이동

4.삭제 사진 복원

사진을 보다가 실수로 삭제를 할 때가 있습니다. 이럴 경우에는 30일 안에 복원을 할 수 가 있습니다.
갤러리에 들어 가서 하단에 삼선을 누릅니다.

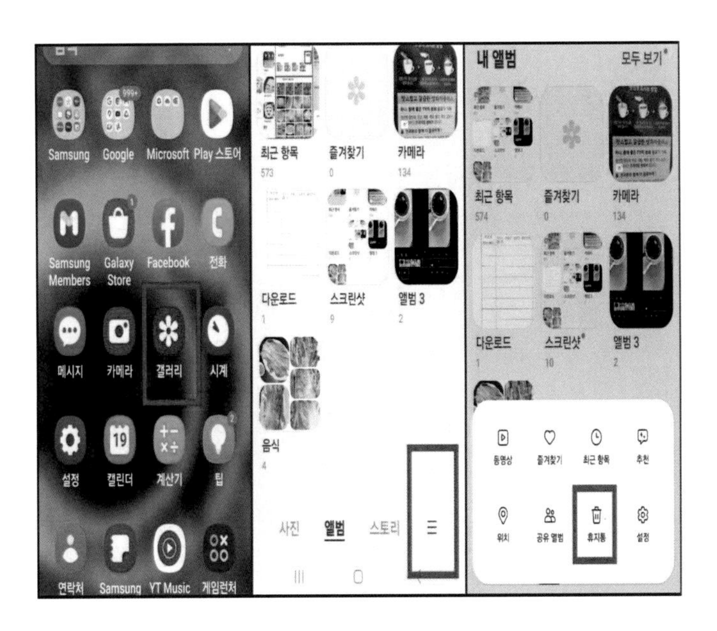

여러가지 메뉴중에 휴지통이라고 있습니다.
꾸욱 눌러 보시면 이곳에 내가 삭제 했던 사진과 영상들이 있습니다.
만약에 잘못 지운 사진이 있다면 이곳에서 복원을 눌러 주시면 다시 사진을 원래 상태대로 내 갤러리에 들어 오게 됩니다.

갤러리-오른쪽 하단 삼선-휴지통-원하는 사진 선택-복원

chapter05.스마트폰 위젯을 사용 한다면 여러분은 시니어상위 1위

1.디바이스 케어로 메모리 삭제

스마트폰의 위젯에 대해 알아 보겠습니다.
앱을 설치 하지 않고 스마트폰에서 기능을 바로 이용할 수 있습니다.
위젯에 디바이스 케어를 설정 해 놓으면 홈화면에서 스마트폰을 최적화 하기에 편리합니다.

홈화면 빈화면에 엄지 손가락을 이용하여 꾸욱 누릅니다.
하단에 위젯을 누릅니다.
여러가지 위젯중 디바이스 케어를 누릅니다.
추가를 누르면 홈화면에 위젯이 들어 갑니다.
최적화위젯을 누르면 빗자루 모양이 움직이면서 메모리 확보가 됩니다.
수시로 눌러 줍니다.

스마트폰 빈화면을 꾸욱 누른다-위젯을 누른다-디바이스 케어 -추가-홈화면에 들어옴-수시로 눌러 준다.

2.수시로 날씨 확인

이번에는 날씨 위젯에 대해 알아 보겠습니다.
아침마다 궁금해 하는 날씨입니다.
스마트폰 홈화면에서 수시로 날씨를 볼 수 있습니다.

홈화면에서 날씨를 눌러 보면 미세먼지 자외선 지수 습도 바람등을 알 수 있고 일주간의 날씨가 기록 되어 있습니다.

스마트폰 빈화면을 꾸욱 누른다-하단 위젯-날씨-추가-날씨 위젯홈화면에 들어 옴

chapter06.갤럭시 스마트폰이라면 꼭 써야 할 이기능

1.터치 두번 스크린 샷<Good Lock>

휴대전화 뒤를 두드리면 화면 캡처가 되고, 세번 톡톡톡 두드리면 카카오톡이 실행되는 방법입니다.갤럭시 스토어로 들어가 보도록 하겠습니다.
갤럭시 스토어는 스마트폰 화면에 갤럭시 스토어 장바구니 모양이 있습니다.
여기에서 Good Lock를 설치해야 합니다.우측 상단에 검색창에서 Good Look를 쓰면 아래에 나타나게 됩니다.
오른편에 아래로 향하는 화살표를 눌러서 다운을 받아 줍니다.
설치가 완료 되면 오른쪽에 재생 버튼을 눌러 주면 열립니다.
이용 동의를 눌러 줍니다.

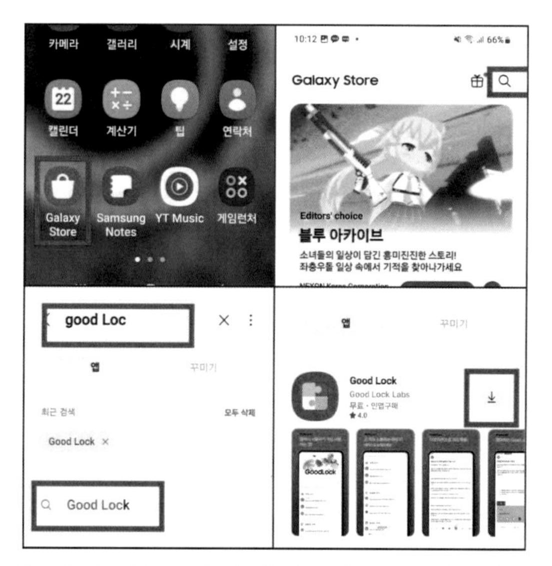

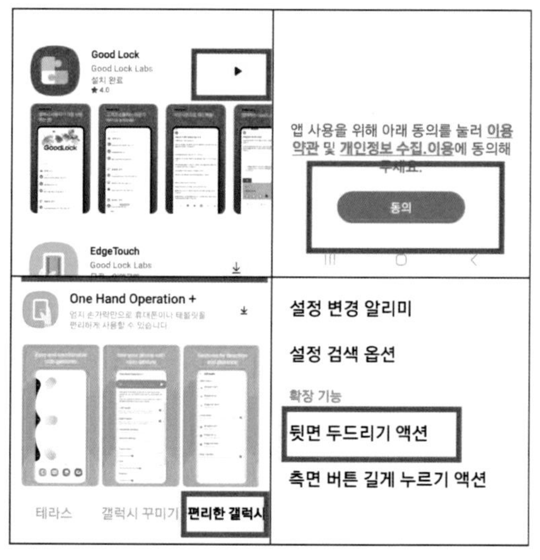

하단에 나타나는 여러가지 기능 중에 편리한 갤럭시를 눌러 줍니다.
별모양이 있는 RegiStar라고 있습니다.
오른쪽 아래로 향하는 화살표 눌러서 다운로드 받아 줍니다.
RefiStar를 눌러 주시고 허용을 눌러 줍니다.
위 상단에 사용 중으로 활성화 시켜 주시고 아래에 두번 두드려 액션 실행을 눌러 줍니다.
스크린샷 생성 후 공유라고 설정을 합니다.

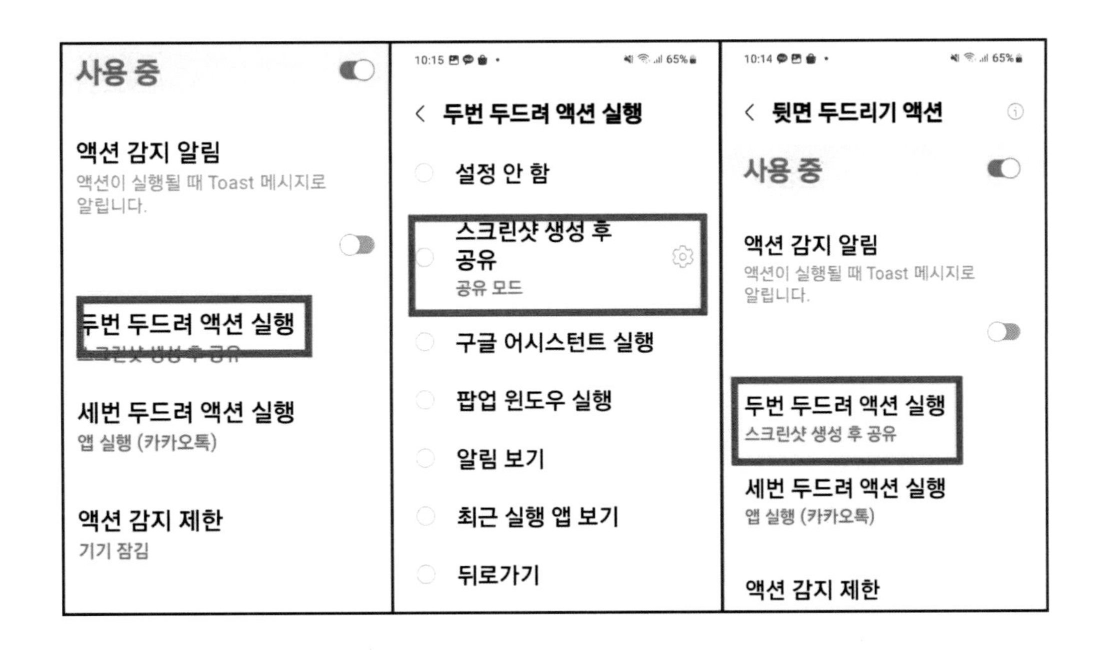

갤럭시 스토어로 들어 갑니다
-검색창에 Good Lock 적습니다
-오른쪽에 아래로 향한 화살표 눌러 다운로드 합니다
-설치가 완료되면 오른쪽 재생버튼 눌러 줍니다
-이용 동의-하단의 편리한 갤럭시 눌러 줍니다
-별모양이 있는 RegiStar를 다운로드 합니다.
-RefiStar를 눌러 주시고 허용을 눌러 줍니다.
-위 상단에 사용중으로 활성화 합니다
-스크린샷 생성 후 공유라고 설정 합니다
-두번 두드려 액션 실행이 설정 되었습니다.

스마트폰을 하다 보면 캡처 할일이 많습니다. 스마트폰 뒤를 톡톡 두번 두드리면 캡쳐가 되어 편리합니다.

2.터치 세번 카카오톡 열림

카카오톡 세번 톡톡톡 설정은 위 <Good Lock>과 동일 합니다.
하단의 설정만 하시면 됩니다.

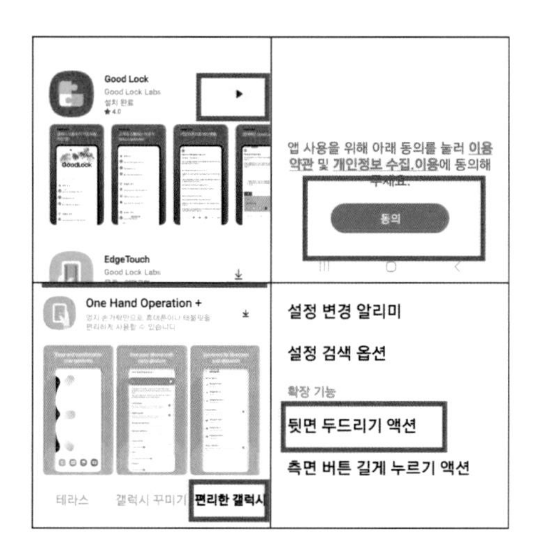

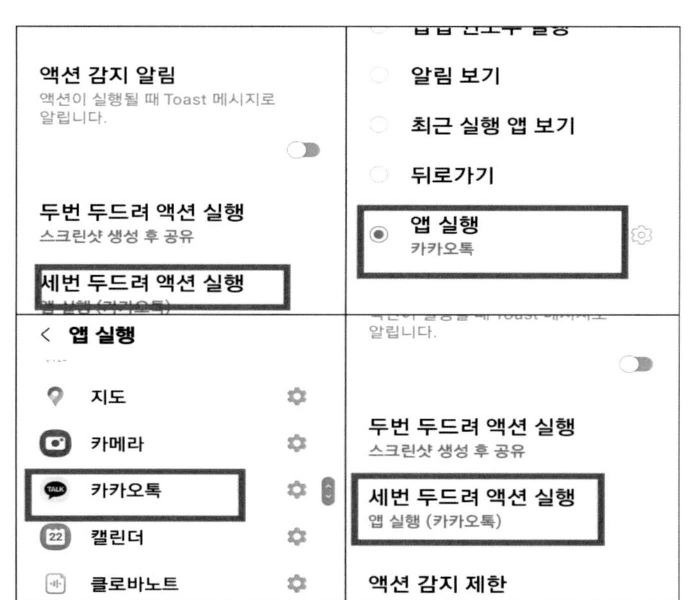

세번 두드려 액션 실행에서는 맨 아래에 있는 앱실행을 누릅니다.
그중에서 카카오톡이 실행 되도록 설정을 하면 됩니다.
스마트폰을 세번 두드리면 카카오톡이 열리게 됩니다.

chapter07. 스마트폰과 Tv를 연동 시키면 생활이 편리해집니다.

1.실시간 Tv

스마트폰으로 TV보는 방법을 알아 보겠습니다.
스마트폰으로 TV를 보기 위해서는 앱을 설치해야 합니다.

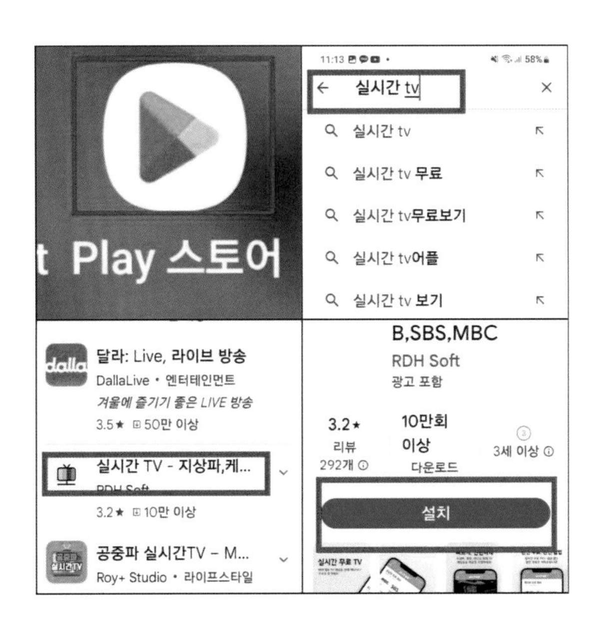

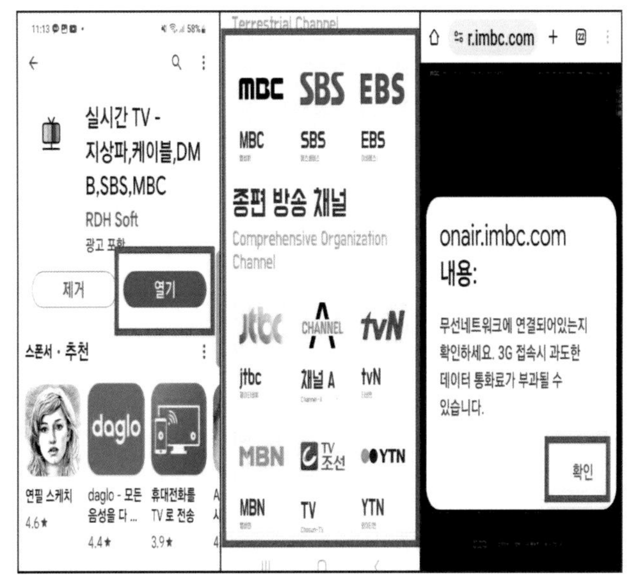

Play스토어에서 검색창에 실시간 tv를 검색 해 봅니다.
다양한 앱이 나오는데요. 그중에서 실시간 tv를 선택합니다.
설치를 누르고 완료 되면 열기 버튼을 눌러 줍니다.
열기를 하면 다양한 채널이 나와 있습니다.
여기에서 내가 보고 싶은 채널을 고를 수 있습니다.
앱사용은 무료이지만 데이터 소모가 많이 되므로 방송을 보기전 wi-fi가 켜져 있는지를 먼저 확인 합니다.

화면에 재생을 눌러서 시청을 할 수 있습니다.
tv를 보다가 다른 채널로 돌아 가고 싶으실때는 맨 하단에 있는 네비게이션바 맨 오른쪽에 있는 뒤로 가기 버튼을 눌러 주시면 다른 채널을 보실 있습니다.

Play스토어에서 실시간 Tv를 검색 합니다.
-설치를 누릅니다.
-열기를 누릅니다.
-다양한 채널이 나옵니다
-보고 싶은 채널을 고릅니다.
-내 스마트폰의 wi-fi가 켜져 있는지 확인 합니다
-화면을 재생버튼을 눌러 tv를 시청합니다
-다른 채널로 돌아 갈때는 하단의 네비게이션바에서 뒤로 가기를 누릅니다.

2.삼성 플러스 Tv

실시간 tv에 이어 이번에는 삼성 플러스 Tv를 검색 해 보겠습니다.

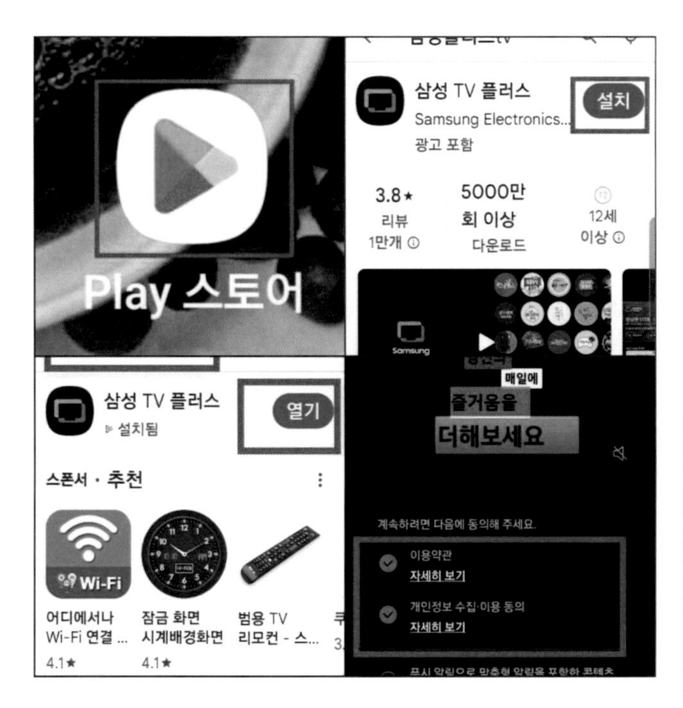

Play스토어에서 삼성 플러스 tv를 검색합니다.
검색창에 삼성TV플러스가 나오면 설치를 합니다. 설치가 완료 되면 열기를 누릅니다.
필수 약관이 나옵니다. 동의를 하면 tv를 바로 볼 수가 있습니다.
바로 옆으로 밀어서 tv채널을 골라서 볼 수 있습니다.
오른쪽 상단에 점 세개가 있습니다 여기를 눌러 설정으로 들어가 봅니다.
생방송 편성표를 눌러 놓시면 tv를 타임라인으로 보실 수 있습니다.
왼쪽으로 밀어 보면 다음 프로가 무엇인지 확인을 하실수 있습니다.

-Play 스토어에서 삼성 플러스 tv를 다운 받습니다.
-설치를 합니다.
-설치가 되면 열기를 누릅니다.
-필수 약관에 동의를 합니다.
-바로 tㅍ를 시청 할 수 있습니다.
-오른쪽 상단 점 세개를 눌러 설정을 누릅니다.
-생방송 편성표를 눌러 tv타임라인으로 시청 합니다.

chapter08.스마트폰에 말만 하면 알아서 글자로 나오는 꿀팁

1.화면 녹화

스마트폰에서 화면을 녹화 하는 방법입니다.
스마트폰을 사용 하면서 내가 녹화 하고 싶은 부분을 녹화하고 메모를 할 수 도 있습니다. 이 기능을 어떻게 하면 되는지 알아 보겠습니다.

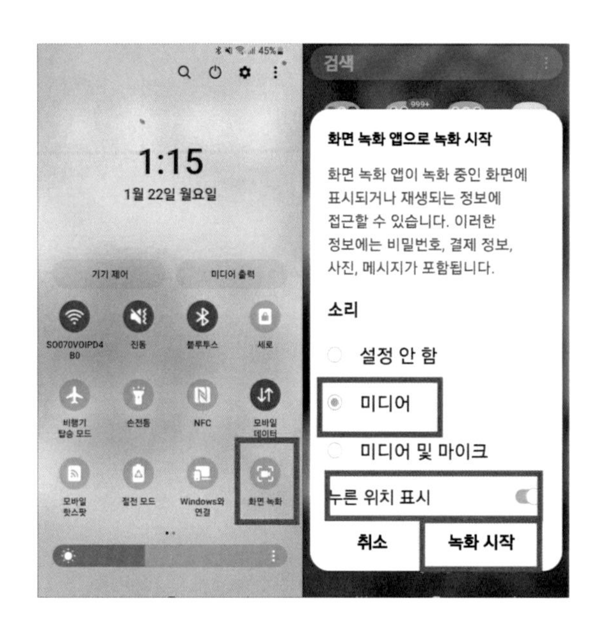

스마트폰 홈화면 설정이 있는 곳에서 화면을 밑으로 내려 보면 다양한 기능들이 있습니다. 이중에 화면 녹화가 있습니다.
화면 녹화를 눌러 보시면 다음 화면이 나옵니다.'화면 녹화 앱으로 녹화 시작' 이 나옵니다.
여기에서 소리 설정을 할 수 있습니다.
'설정 안 함'은 녹화를 했을 때 화면만 녹화가 되는 것입니다. 소리가 나지 않습니다.
'미디어'를 선택 하게 되면 핸드폰에서 나오는 영상과 소리만 녹화가 됩니다.
'미디어 및 마이크'를 설정 하면 핸드폰에서 나오는 영상소리와 내가 하는 말소리까지 녹화가 됩니다. 그리고 '누른 위치 표시' 는 내가 어디를 터치 하고 있는지 녹화 화면에 보여지는 기능입니다. 원하는 설정을 했다면 녹화 시작을 눌러 줍니다.

녹화 시작을 누르면 카운트 다운이 3 2 1숫자로 표시가 됩니다.
오르쪽 상단에 보면 녹화 창이 나오는걸 볼 수가 있습니다.

연필 모양은 어떤 모양을 표시하고 싶다 하면 영상에 표시를 할 수가 있습니다.
연필모양 옆에 사람 모양이 있습니다. 내가 사람 모양을 누르면 본인의 얼굴이 화면의 동그라미 안으로 들어 갑니다. 그리고 그 옆으로 일시정지가 있습니다.
일시정지는 잠시 멈추었다가 녹화 하고 싶은 부분을 다시 녹화를 시작 할 수 있습니다.
녹화를 마치고 싶다면 마지막 네모모양 정지 버튼을 누르면 녹화가 완료 됩니다.
영상은 갤러리에 저장이 되어 있습니다.

화면 녹화-화면 녹화 앱으로 녹화 시작-<설정 안함 소리.미디어.미디어 및 마이크. 중 선택 후/누른 위치 표시/ 녹화 시작>-카운트 다운-오른쪽 상단 녹화 버튼 다양하게 설정 하면서 녹화후 저장.-갤러리에 저장 되어 있음.

2.음성 녹음 텍스트 변환

스마트폰의 있는 녹음 기능에 음성 녹음이 되고 음성이 텍스트로 변환 되기도 합니다.
오늘은 텍스트 변환을 알아 보도록 하겠습니다.

먼저 음성 녹음 앱으로 들어가 봅니다.
상단에 일반. 인터뷰. 택스트 변환이 있습니다.
그중에 텍스트 변환을 설정 합니다.
말을 하면 텍스트로 바로 변환이 됩니다.
녹음을 마칠때는 오른쪽 하단 정지 버튼을 누릅니다.

녹음 파일 이름을 정해 주고 저장을 누릅니다.
저장 된 파일은 오른쪽 상단 점세게를 눌러서 이용 할 수 있습니다.
이름 변경을 할 수 있고 파일을 공유 할 수 있습니다.
텍스트만 공유할 수도 있습니다. 여러곳에 다양한 방법으로 활용 할 수 있습니다.

-음성 녹음.-텍스트 변환-녹음-녹음 텍스트 변환이 되어 나옵니다.
-저장-파일 이름 저장-상단 점세개를 누릅니다-공유

chapter09. 카카오톡 유용한 기능

1.카톡방 조용히 나가기

카카오톡방에서 조용히 나가기가 있습니다.
그룹채팅방에서 나오고 싶은데 이름이 남는것 때문에 망설여질 때가 있습니다. 이제 조용히 나가기르 나오시면 됩니다.

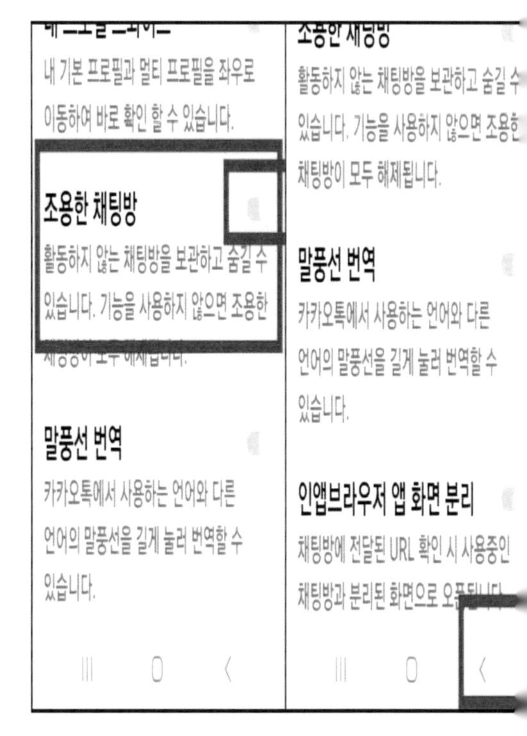

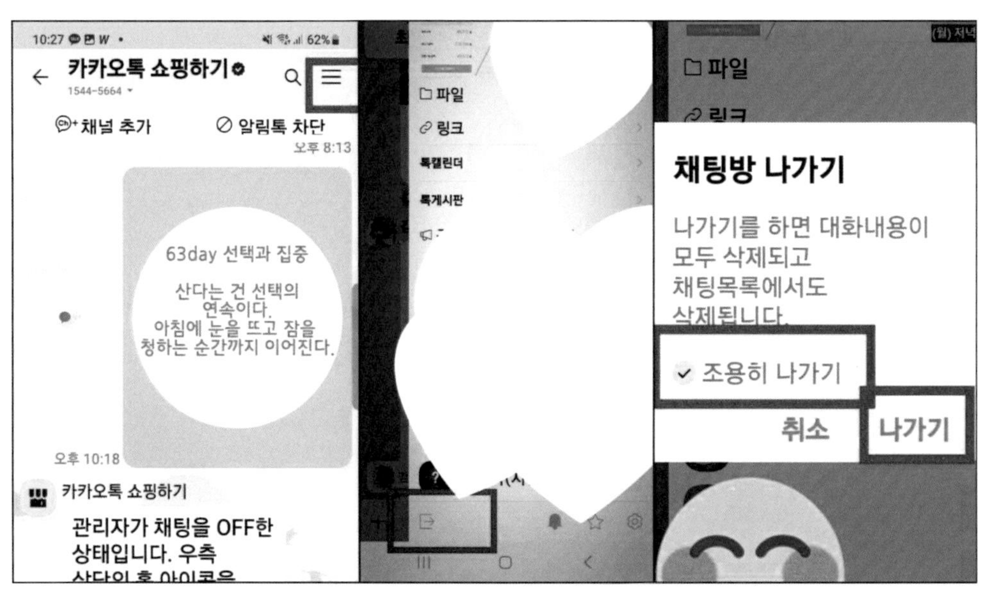

카카오톡의 설정을 누릅니다.
전체설정을 터치 후 실험실로 들어 갑니다.
조용한 채팅방을 설정 한 후 하단의 뒤로 가기를 하여 나옵니다.
내가 나오고 싶은 단체 채팅방의 오른쪽 상단의 삼선을 누르고 왼쪽 하단에 나가기를 누릅니다.
조용히 나가기에 체크를 하고 나가기를 누르면 채팅방에서 조용히 나오게 됩니다.

카카오톡-설정-전체 설정-조용한 채팅방 설정-하단의 뒤로 가기-나오고 싶은 채팅방 상단 오른쪽섬선-왼쪽 하단 나가기 버튼-조용히 나가기 체크 후-나가기

c

2.카카오톡 번역

이기능은 외국어를 몰라도 카톡을 주고 받고 소통을 할 수 있습니다
카카오톡 번역기능에 대해서 알아보겠습니다.
Play스토어에서 카카오톡 업데이트를 해 주시면 좋겠습니다.

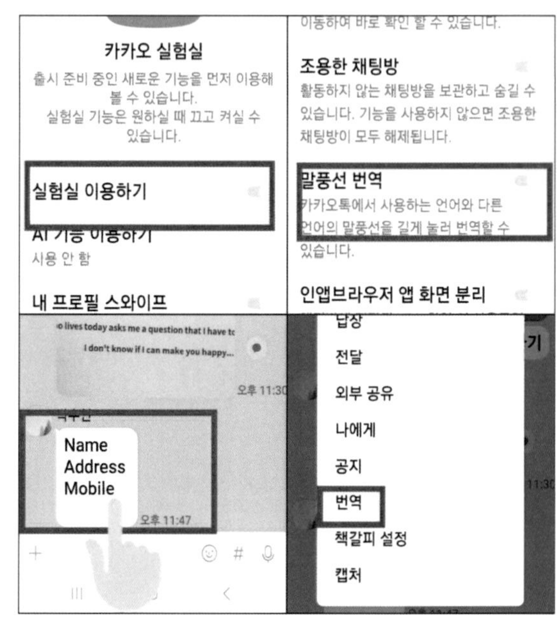

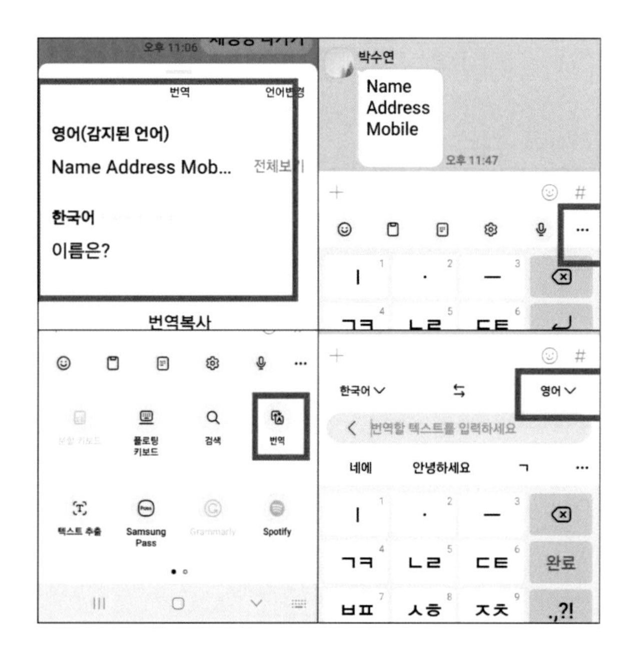

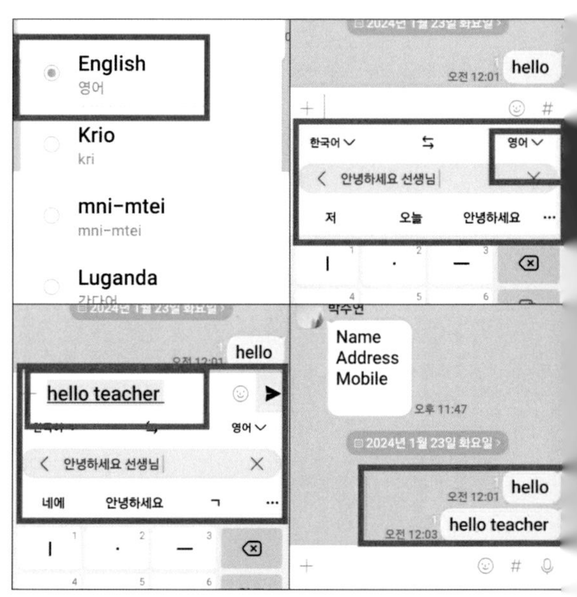

카카오톡으로 들어 갑니다.
상단 설정을 터치 하시고 전체 설정을 한 후 실험실로 들어 갑니다.
실험실 이용하기와 말풍선 번역을 활성화 합니다.
내 카톡방으로 돌아 온 후 영어로 들어온 문자를 번역 해 봅니다.
영어를 꾸욱 누르면 번역이 나옵니다.
한국어로 번역이 나온 걸 확인 할 수 있습니다.

내가 답장을 해야 할 경우를 알아보겠습니다.
한글자판기 오른쪽 위에 있는 점 세개를 누릅니다.
아래로 향하는 꺽쇠를 누르면 여러 나라의 언어중에 내가 원하는 언어를 선택할 수 있습니다.
저는 영어를 선택 했습니다.
보내고 싶은 말을 한국어로 입력을 했더니 영어로 번역이 되어 문자 전송이 됩니다.

카카오톡-설정-전체 설정-실험실-실험실 이용하기 활성화-말풍선 번역 활성화-

<영어로 문자가 올때> 내 카톡방-영어 꾹 눌러서 번역선택

<문자를 보낼 때> 내 카톡방-한글 자판기 오른쪽 위에 점 세개 누름-아래호 향한 꺽쇠 누름-언어 선택-한국말로 입력-선택한 언어로 번역이 되어 문자 발송

chapter10. 갤럭시에서 알아 두면 편리한 꿀팁

1.자판기에서 커서 움직이기

키패드에서 메세지나 글을 작성 하다 보면 뛰어 쓰기를 해야 하는데 못하고 넘어 가는 경우가 있습니다. 이럴 때 손가락을 이용하여 그 위치를 찾기가 쉽지 않습니다. 이런 경우 키보드에서 설정을 해 놓으시면 자판기에서 커서를 움직여 편리하게 사용 하실 수 있습니다.

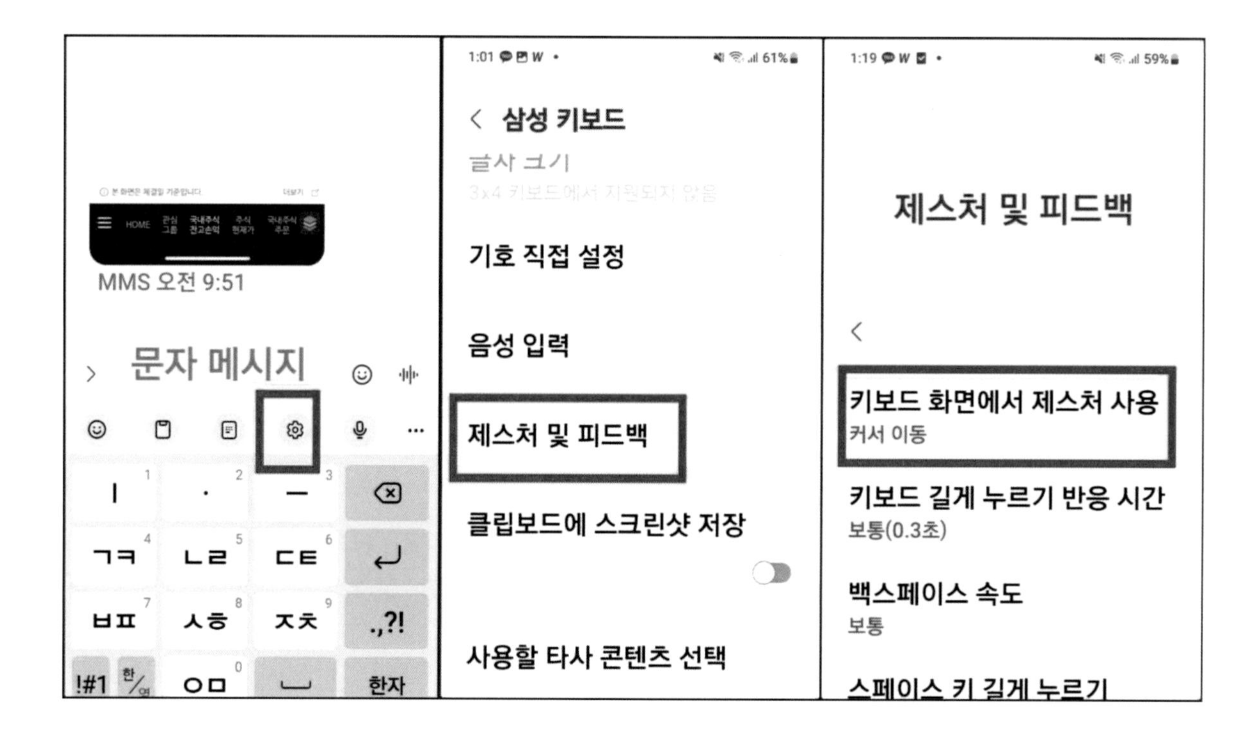

하단의 키보드 설정을 누릅니다.
설정을 누르면 아랫쪽으로 제스처 및 피드백이 있습니다.
눌러 보시면 다음으로 키보드 화면에서 제스처 사용
커서 이동이 있습니다

커서 이동에 표시를 합니다.

다시 메세지 키패드로 돌아 옵니다.
이 상태에서 하단의 키패드에 손가락을 올려 놓으시고 지긋이 누른 상태에서 상하좌우 움직이시면 커서가 움직입니다.
왔다 갔다 움직여 주면서 원하는 위치에서 뛰어 쓰기를 하시면 됩니다.

키패드에 설정-제스처 및 피드백-키보드 화면에서 제스처 사용-커서 이동

2.키패드로 편리하게 전화 번호 찾기

전화 번호를 찾을 때 보통은 저장 해 놓은 열락처에서 번호를 찾아 하게 됩니다.
연락처에 들어 가지 않고 키패드에서 쉽게 찾을 수가 있습니다.

전화를 눌러서 키패드를 열어 줍니다.
키패드 숫자 아래를 보시면 글자가 있습니다.
찾고자 하는 이름을 첫 글자를 순서대로 눌러 줍니다.
예:홍길동 8 4 6를 누르면 상단에 이름이 나옵니다.

바탕화면에 전화 표시를 누름-키패드-원하는 이름 첫글자를 순서대로 누름

3.바탕 화면에서 전화 하는 편리한 꿀팁

바탕 화면에서 전화를 바로 걸 수 있게 꺼내 놓을 수가 있습니다
위젯을 이용 하여 보겠습니다.
평소 자주 쓰는 번호를 바탕 화면에 꺼내 놓으면 편리하게 사용 할 수 있습니다.

바탕화면 빈 곳을 꾸욱 눌러 봅니다.
하단에 위젯이 나옵니다. 위젯을 눌러 화면을 위로 올려서 보시면 연락처가 나옵니다
다이렉트 전화 추가를 누릅니다.

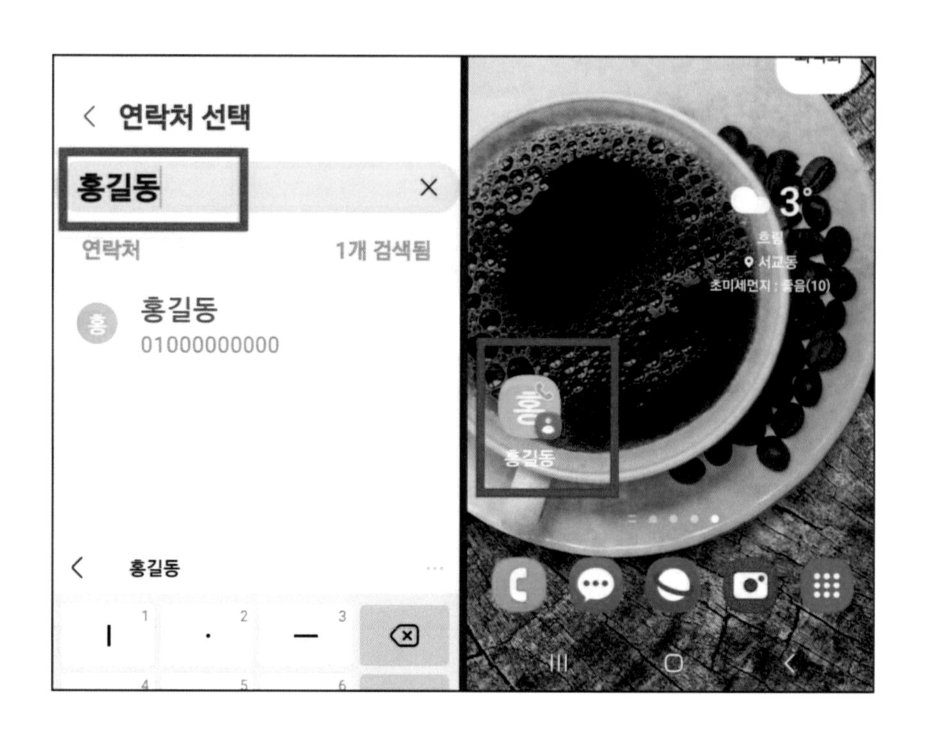

자주 이용하는 연락처를 저장 합니다.
바탕 화면에 이름이 나와 있습니다.
바탕화면에서 버튼을 누르면 전화를 바로 할 수 있습니다
연락처를 찾지 않아도 되어 편리 합니다.

바탕 화면 빈곳을 꾸욱 누름-하단의 위젯-연락처-다이렉트 전화 추가-원하는 이름 설정-바탕화면에 이름 위젯 생김

4.스마트폰에서 자 내어 쓰기

평소 생활 하다 보면 자를 이용 해야 하는 경우가 있습니다.
이럴 경우 편리하게 스마트폰에서 꺼내어 쓸 수 있는 방법이 있습니다. Edge패널을 이용해 보겠습니다.

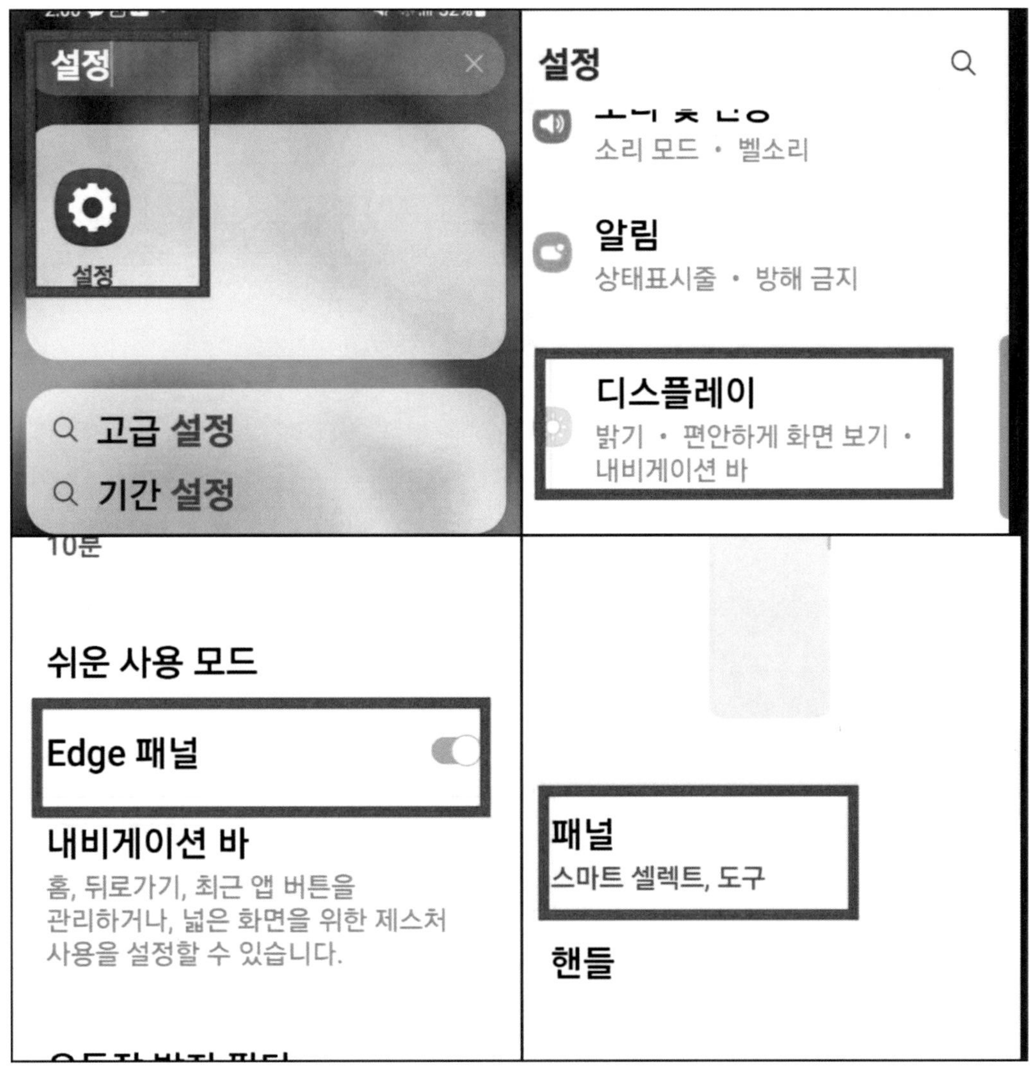

메뉴에서 설정으로 들어 갑니다.
디스플레이에 들어 가서 Edge 패널 사용을 누릅니다.
패널을 누릅니다.

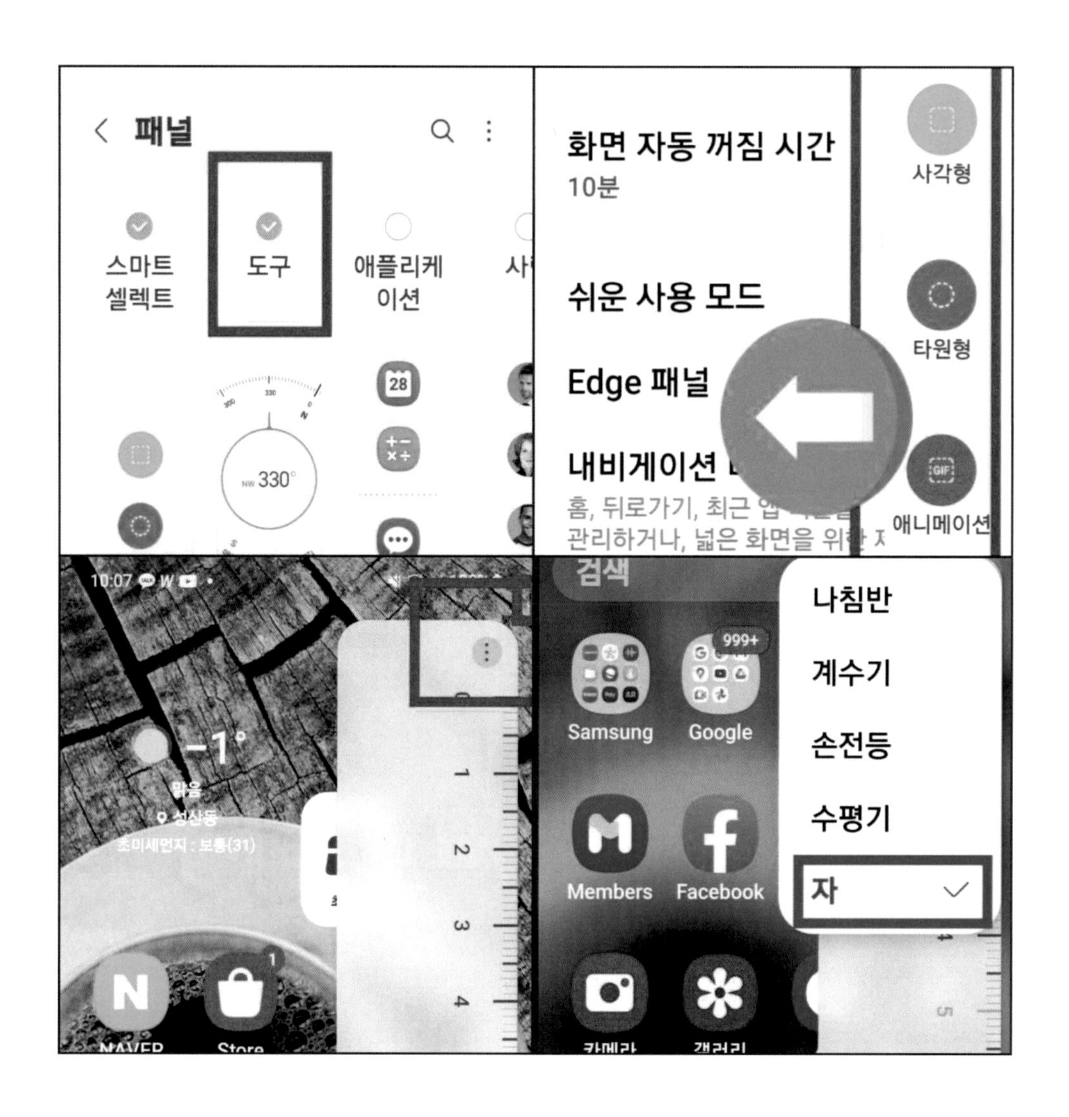

도구를 선택합니다.
이 상태에서 Edge패널을 손가락을 이용하여 안쪽으로 쓸듯이 가져 옵니다.
한번더 안쪽으로 살짝 가져 옵니다.
다음으로 오른쪽 위에 점세개를 눌러 나침반.계수기.손전등.수평기.자중에서 원하는 메뉴를 선택 하여 사용 합니다.

설정-디스플레이-Edge패널-패널-도구-안쪽으로 두번 화면을 쓸어 준다-오른쪽 상단 점세개-원하는 메뉴 선택

chapter11, 내 개인정보 차단

1.위치 정보

편리한 스마트폰을 사용하다 보면 내 개인 정보가 들어 갑니다.
많은 정보가 스마트폰 안에 들어 있습니다.
원하지 않은 곳에서도 줄줄 새고 있는 내가 있는 위치 정보를 차단 하는 방법을 알아 보겠습니다.

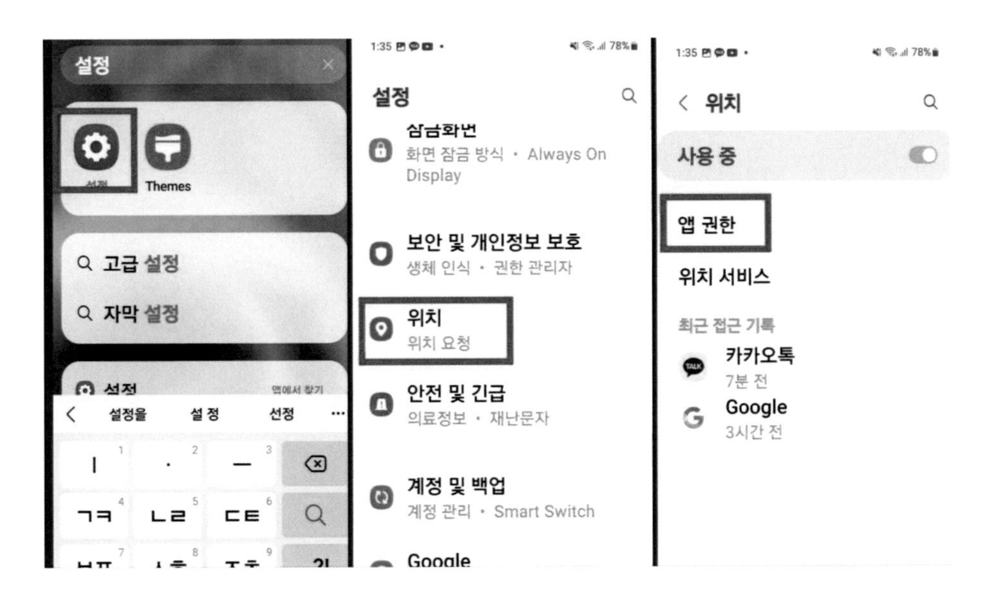

설정으로 들어 갑니다.
위치를 누릅니다.
앱권한을 누릅니다.

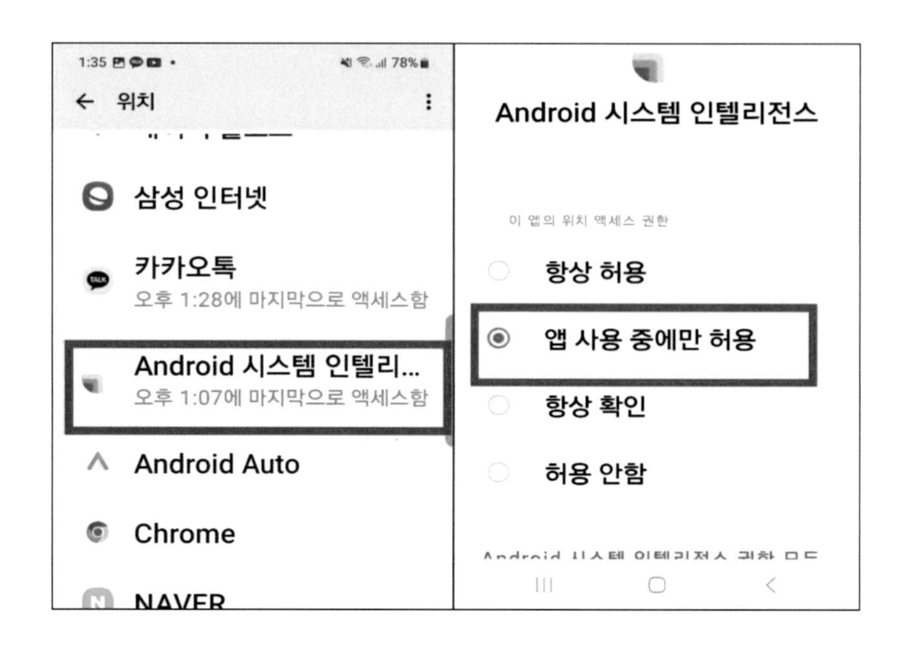

Android시스템 인텔리를 누릅니다.
앱 샤용 중에만 허용을 누릅니다.

앱 사용 중에만 허용으로 설정 해 놓으시면 내가 있는 현위치를 항상 허용하지 않아도 됩니다.

설정-위치-앱권한-Andriud 시스템인텔리-앱 사용 중에만 허용

2.카메라에서 위치 정보

카메라에서 내 위치 정보를 차단 하는 방법을 알아 보겠습니다.
사진을 찍을 때 내 위치가 노출이 됩니다.
노출 하고 싶지 않을 경우 설정 해 놓을 수 있습니다.

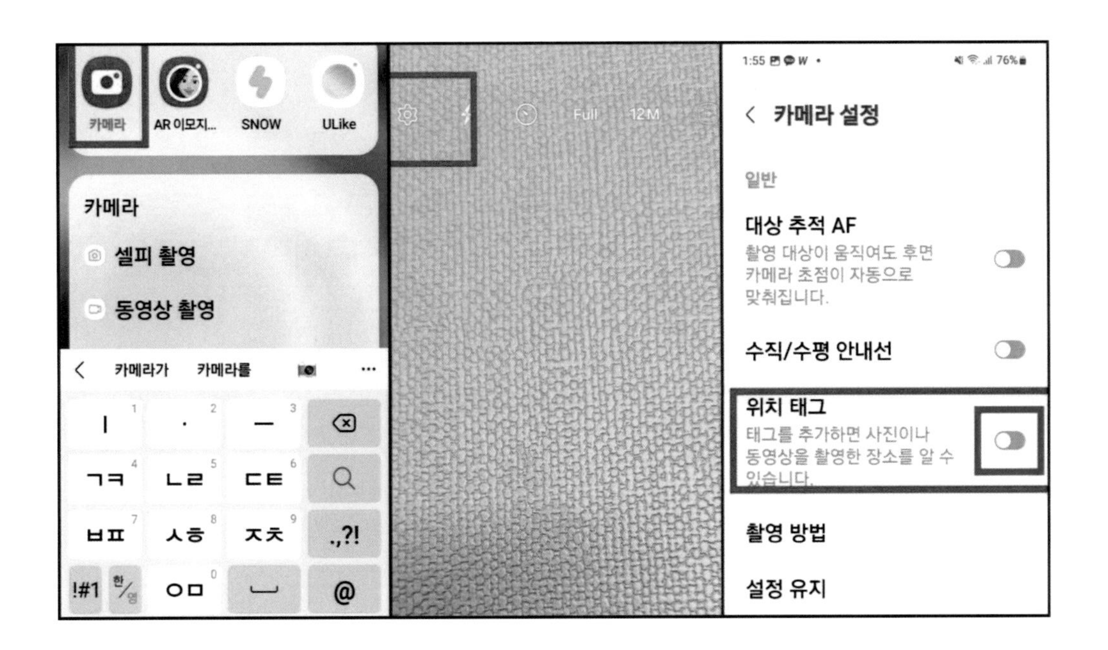

내 위치를 공개해야 하는 경우도 있지만 공개 하고 싶지 않을 경우 위치태그를 꺼 놓습니다.

카메라-설정-위치태그를 꺼놓음

chapter12. 광고 문자 차단 하기

1,메세지에서 차단

메세지나 문자에 광고나 스팸이 들어 오는 경우가 있습니다.
차단 하는 방법을 알아 보겠습니다.
바탕 화면의메세지 앱을 열어 봅니다.
여기에서 차단 하고 싶은 문자를 꾸욱 누릅니다.
하단 오른 편에 더보기를 누릅니다.

이미 받은 문자를 차단 할 수 있습니다.
차단 하고 싶은 문자를 꾸욱 누릅니다.
이 상태에서 하단의 오른쪽 더보기를 누릅니다.
차단을 누릅니다.

바탕 화면 메세지-차단 하고 싶은 문자 꾸욱 누름-하단 오른쪽 점세게-차단

2.광고 문자 사전에 차단 설정

알 수 없는 광고성 메세지가 수시로 들어 옵니다.
메세지가 들지 오지 못하도록 미리 설정 하는 방법을 알아 보겠습니다.
문자 메세지앱을 터치 합니다.
상단의 오른쪽의 점세개를 누릅니다.
설정을 누릅니다.

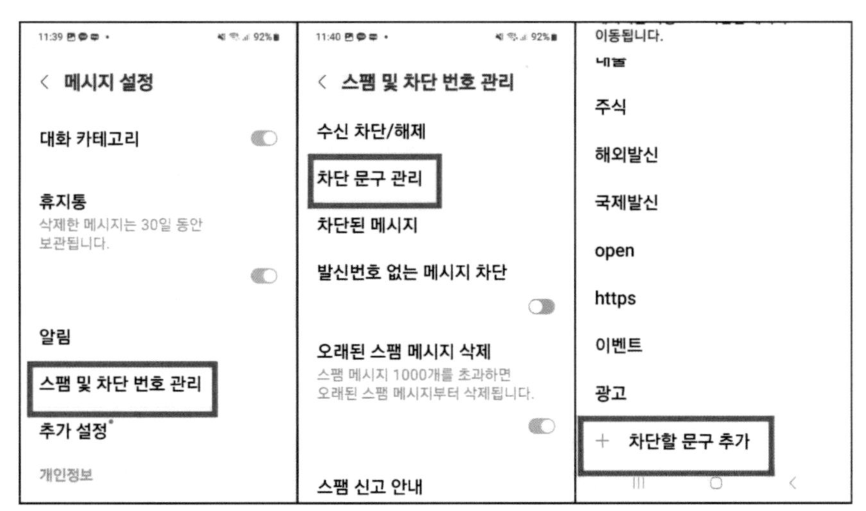

스팸 및 차단 번호 관리를 누릅니다.
차단 문구 관리를 누릅니다.
차단할 문구 추가를 누릅니다.

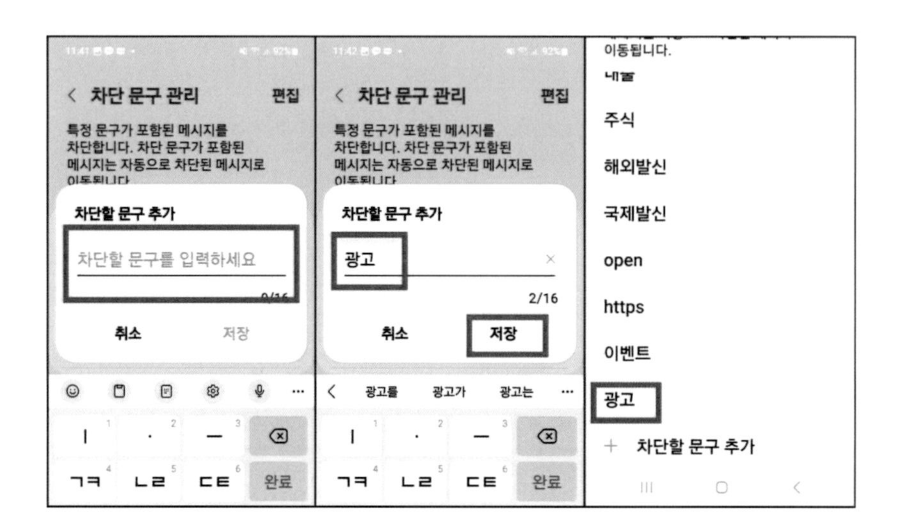

차단하고 싶은 문구를 적고 저장을 누릅니다.
저는 광고 라고 적었습니다.
적었다면 저장을 눌러 줍니다.
광고라는 문자가 들어 오면 차단이 됩니다.

문자 메세지-오른쪽 점세개-설정-스팸 및 차단 번호 관리-차단 문구 관리-차단할 문구 추가에 원하는 글 작성--저장

3.신종 사기 urL 링크 차단

알 수 없는 링크가 오곤 합니다.
누르게 되면 스팸 링크일수가 있습니다.
미리 차단 하는 방법을 알아 보겠습니다.

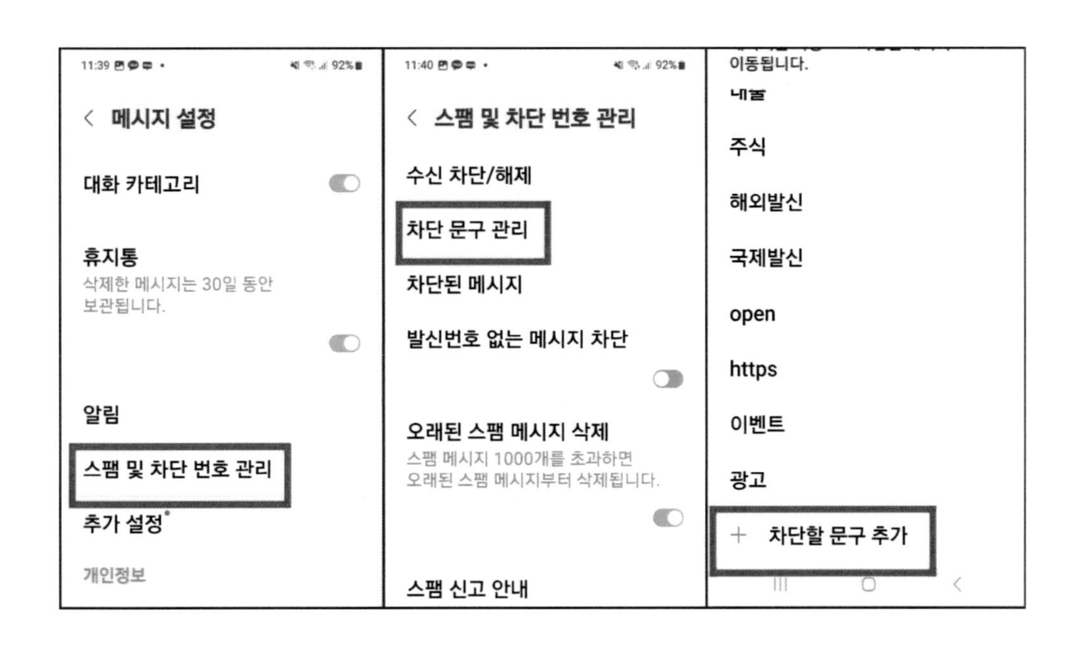

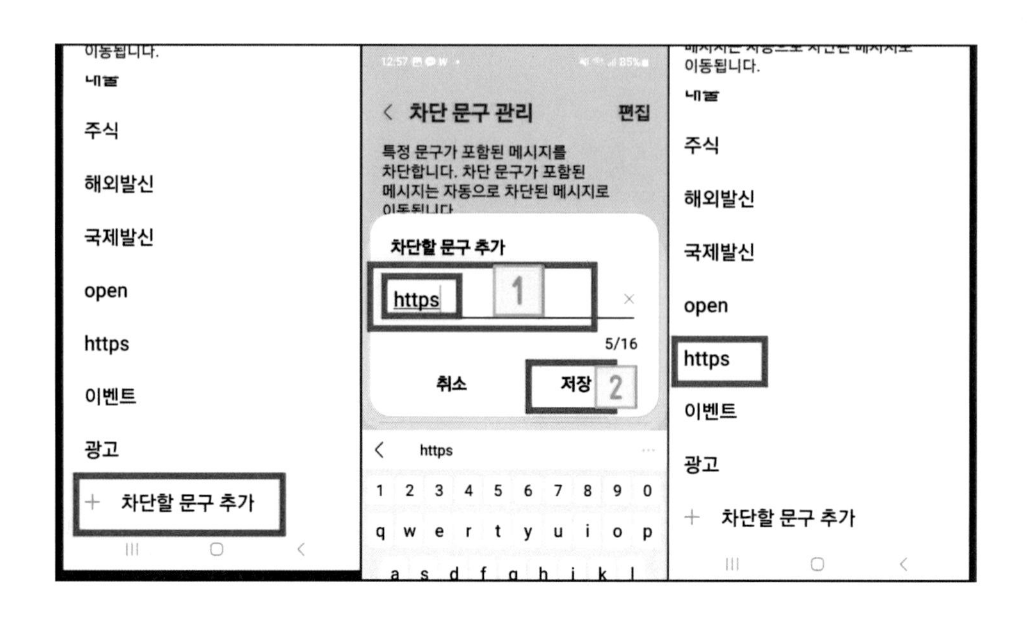

방법은 위 광고차단 하는 방법과 같습니다.
차단할 문구 추가에서 https를 누르시면 됩니다.

잘못된 URL를 누르게 되면 그 순간 내 스마트폰 안에 있는 정보가
빠져 나갑니다.
링크 차단을 해 놓으시면 좋겠습니다.

문자 메세지-오른쪽 점세개-설정-스팸 및 차단 번호 관리-차단 문구 관리
-차단할 문구 추가-https-저장

chapter13. 시니어를 위한 스마트폰 숨은 기능

1.터치 민감도

같은 기종의 스마트폰을 쓰더라도 전화를 주고 받는 용도로만 사용하는 분과 많은 기능을 활용 하는 분도 계십니다.
스마트폰안에는 숨은 기능이 많습니다.
겨울철 장갑을 끼고 스마트폰 사용을 하다 보면 터치가 잘 안되는 경우가 있습니다.
이럴때 터치 민김도을 사용 해 보도록 하겠습니다.

설정으로 들어 갑니다.
디스플레이를 누르고 다음으로 터치 민감도를 눌러 설정 합니다.
터치가 잘 됩니다.

설정-디스플레이-터치민감도

2.문자 삭제시에 지워진 문자 되돌리기

문자를 하다 보면 긴 글을 쓰게 되는 경우가 있습니다.
정성 들여 쓴 글이 잘못하여 사라지게 되면 난감합니다.
이럴경우 사라진 문자를 되돌릴수 있습니다.

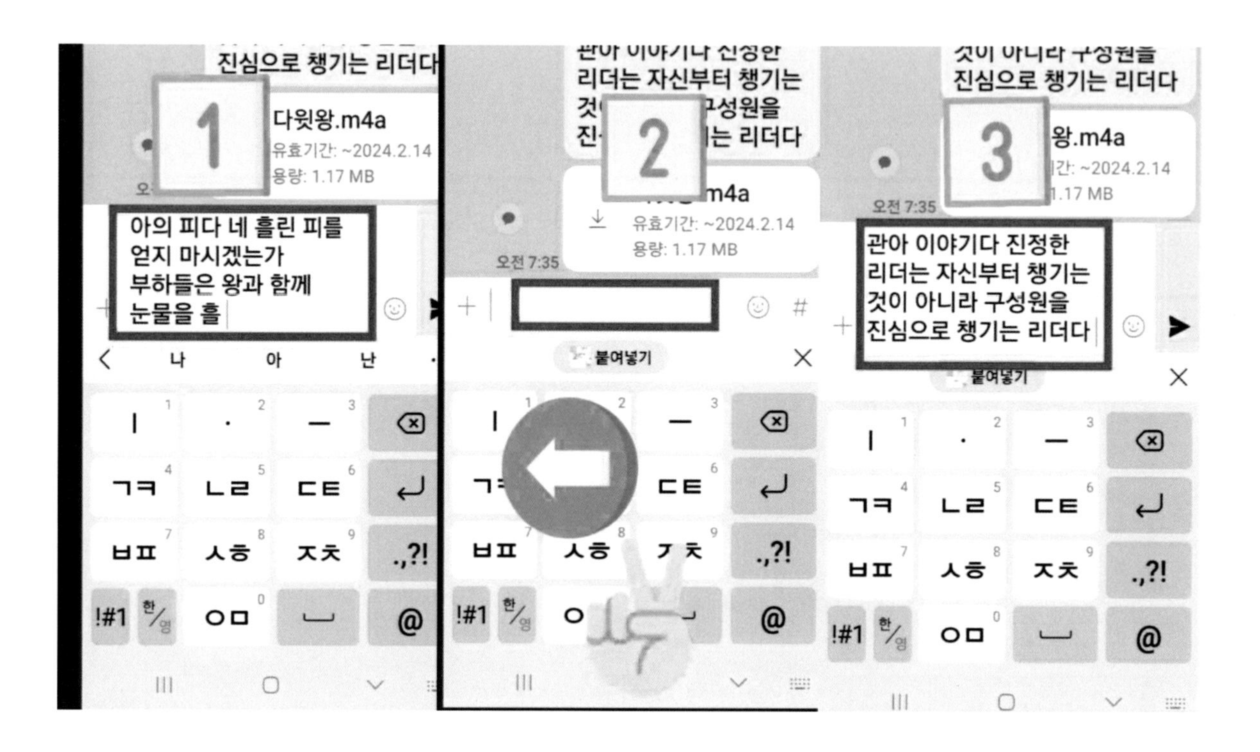

일반 문자나 카톡에도 방법은 같습니다.
문자가 사라졌을때 손가락 두개를 키패드 위에 올려 놓습니다.
지긋이 누른 상태에서 왼쪽으로 살짝 밀어 줍니다.
작성중이던 문자가 되돌려집니다.

문자가 사라진 키패드위에 손가락 두개를 올려 놓는다.
왼쪽으로 지긋이 밀어 준다.
사라진 문자가 되돌려진다.

3.스마트폰 화면 글씨를 크게 최적화 하기

평소 스마트폰 글씨를 크게 하여 사용하는 방법을 쓰기도 합니다.
지금 하는 이방법은 화면안에 글씨가 커지고 시스템 커집지다.
설정으로 들어 갑니다.

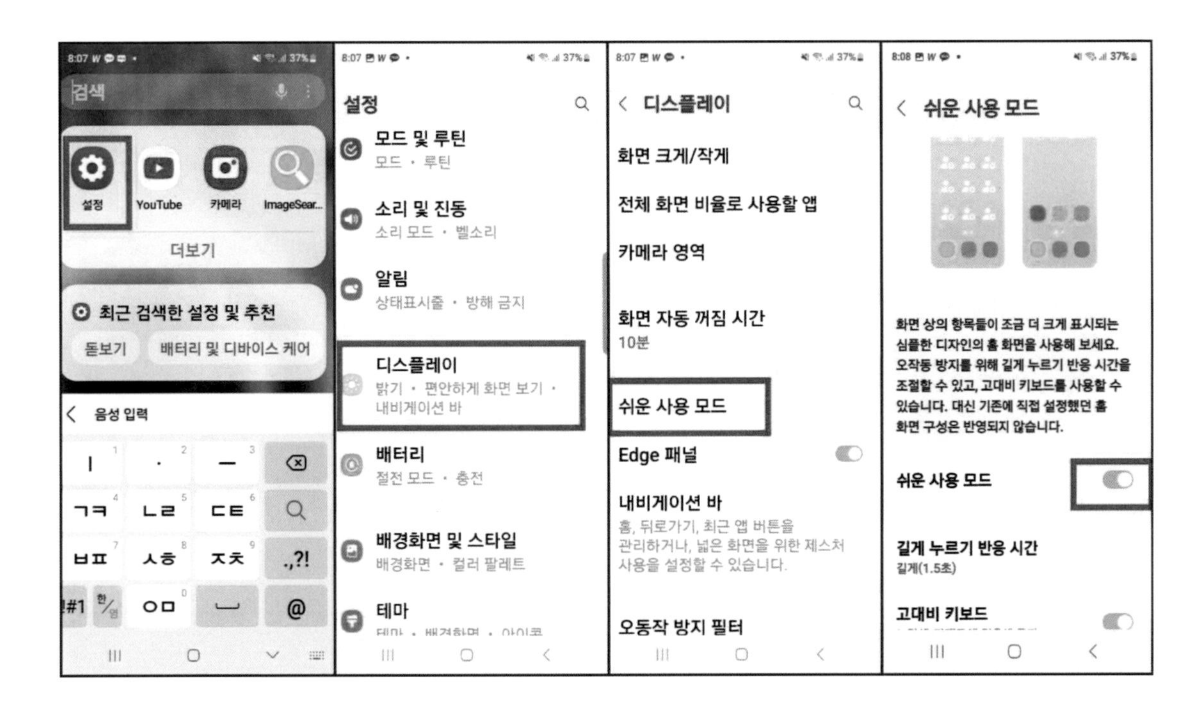

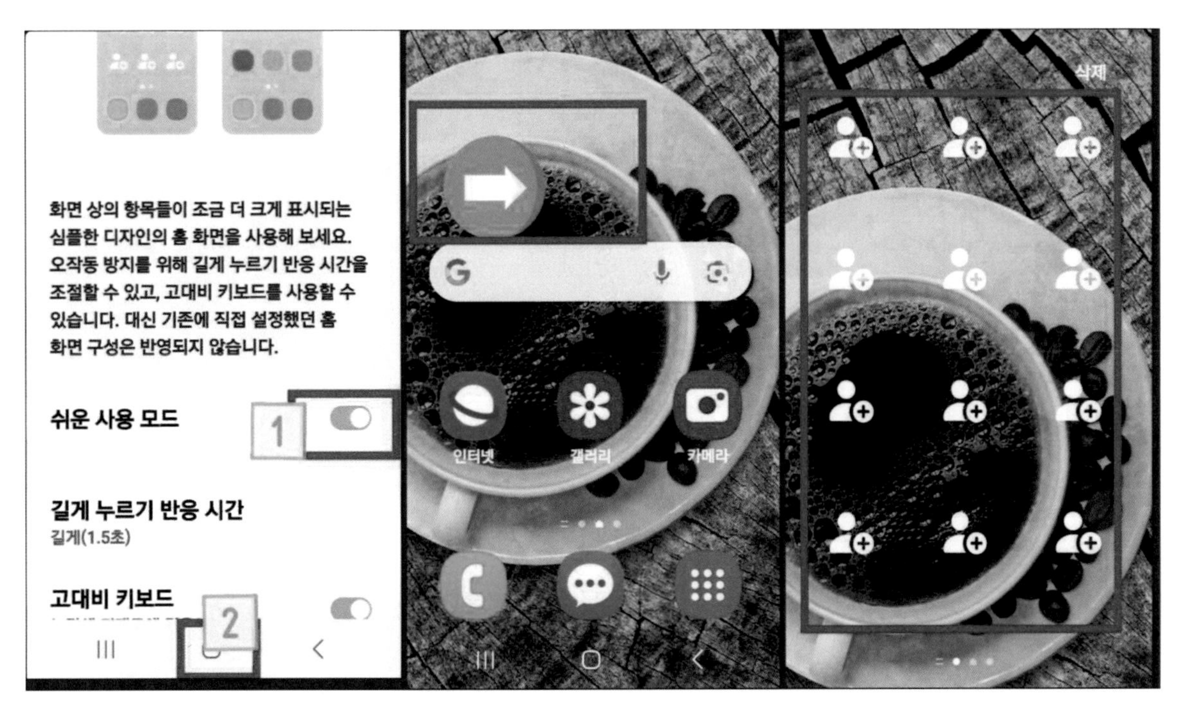

설정으로 들어 갑니다.
쉬운 사용모드를 눌러 줍니다.
오른쪽에 버튼을 설정모드로 합니다.
글자가 커지고 화면의 앱들이 커집니다.
화면을 왼쪽으로 넘겨 보면 여러개의 연락처가 나옵니다.

여러개의 연락처를 저장하여 저장할실수 있습니다.

손가락을 사용하여 터치하면 연락처 추가가 나옵니다.
새 연락처를 등록 할수 있고 기존 연락처에서 추가를 할 수 있습니다.
자주 사용하는 번호를 저장 하셔도 좋으실 것 같습니다.

설정-디스플레이-쉬운 사용 모드-쉬운 사용 모드 설정-홈버튼 누름
-왼쪽으로 화면 넘김-여러개의 연락처중 한개를 누름-연락처 추가가 나옴
=새 연락처 등록/기존 연락처에서 추가중 선택후 저장

4.카메라 사용 꿀팁 복사 붙혀넣기

휴대폰 오른쪽 측면에 스마트폰을 켜고 끄는 버튼이 있습니다.
이 버튼을 두번 누릅니다.
카메라가 켜집니다.
이제 카메라로 글자를 찍어 봅니다.
전화 번호나 계좌번호를 전송 할때 편리합니다.
글자만 꺼내서 문자로 사용할수 있습니다.

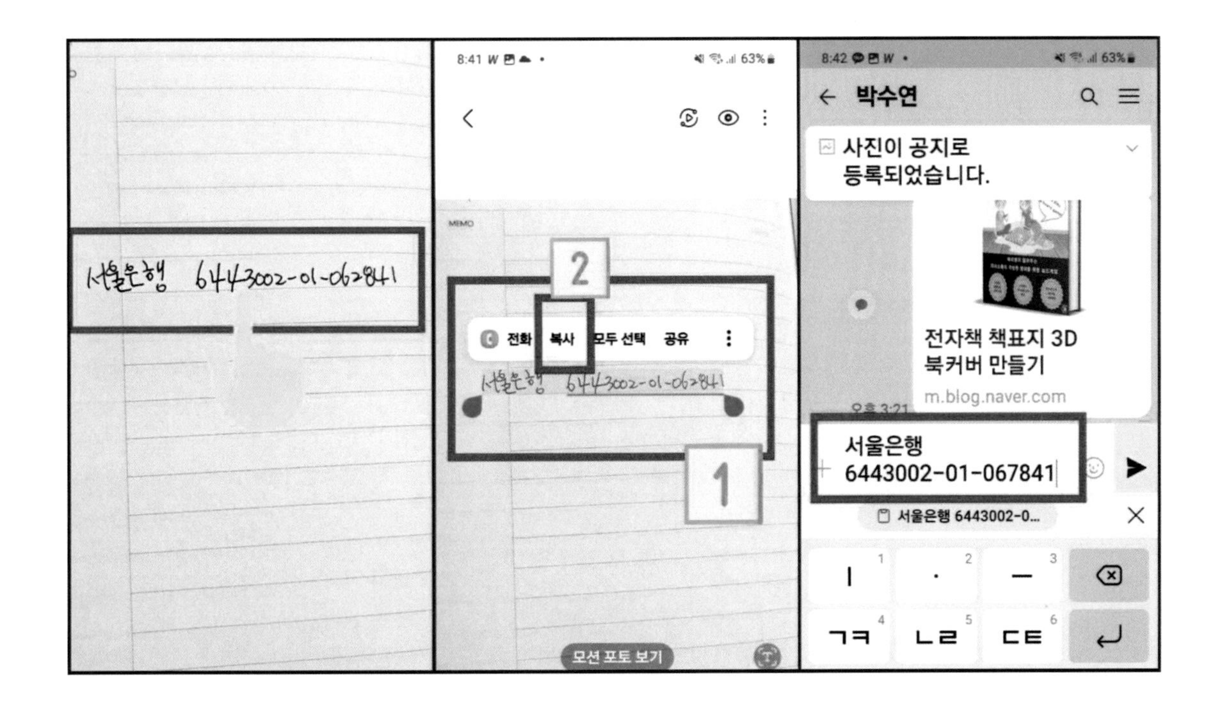

저는 계좌변호를 찍어 보았습니다.
갤러리에 저장이 됩니다.
촬영된 사진에서 글자를 꾸욱 눌러 봅니다.
색이 변하면 위에 복사를 누릅니다.
문자를 보낼 수 있고 송금을 할 수 있습니다.
책을 볼때 좋은 글귀을 메모 할 경우에도 유용합니다.

카메라를 찍는다-갤러리에 사진을 불러온다-원하는 곳을 손가락으로 지긋이 누른다-복사를 누른다-원하는 곳에 붙혀넣기 한다.

chapter14. 스마트폰 문장 빠르게 입력하는 단축어

1.이메일 계좌변호 1초만에 입력

온라인 세상에서 이메일은 하루에도 몇번씩 써야 합니다.
귀찮기도 하고 잘못 적을때가 많습니다.
영문은 오타가 자주 나오기도 합니다.
이런경우 입력을 해 놓으면 빠르고 쉽게 전송 할 수 있습니다.
긴문장도 가능합니다.

검색창에 문구추천이라고 적어 줍니다.
문구추천을 활성화 합니다.
단축어를 누릅니다.

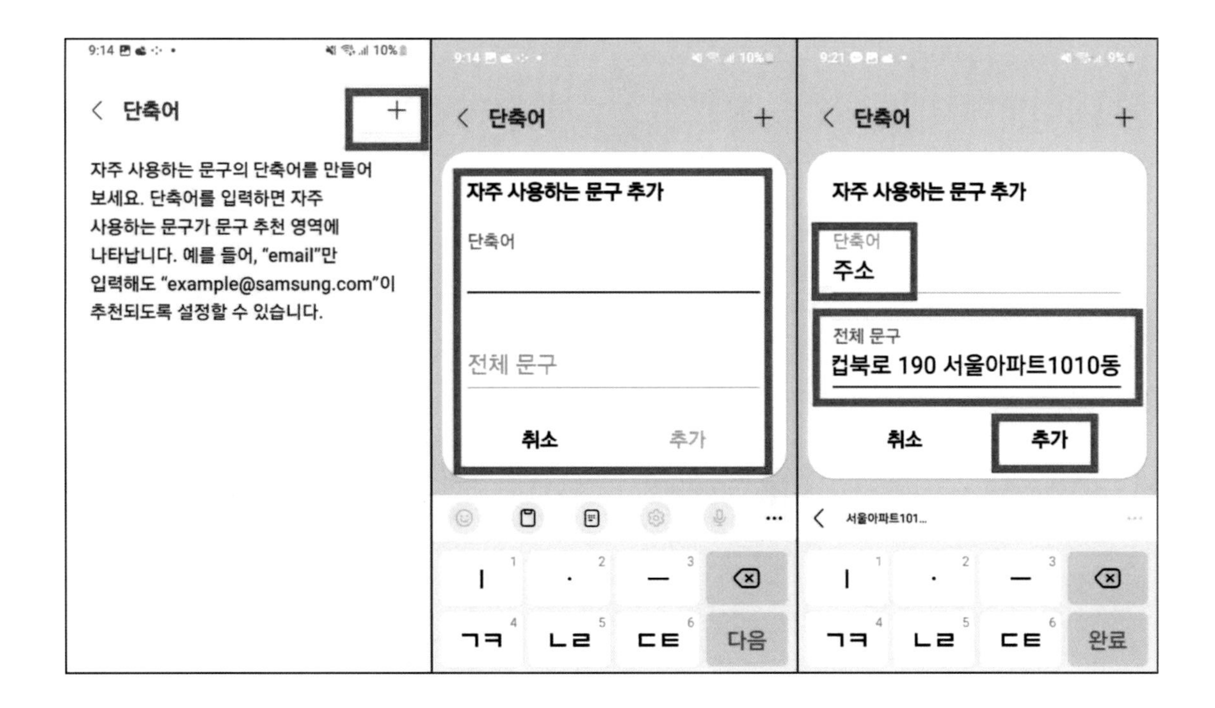

단축어의 더하기를 누릅니다.
단축어는 내가 기억하기 쉬게 적습니다.
문구는 정확하게 입력하고 추가를 누릅니다.

입력한 문구는 일반 문자나 카톡문자에 전송 할수 있습니다.

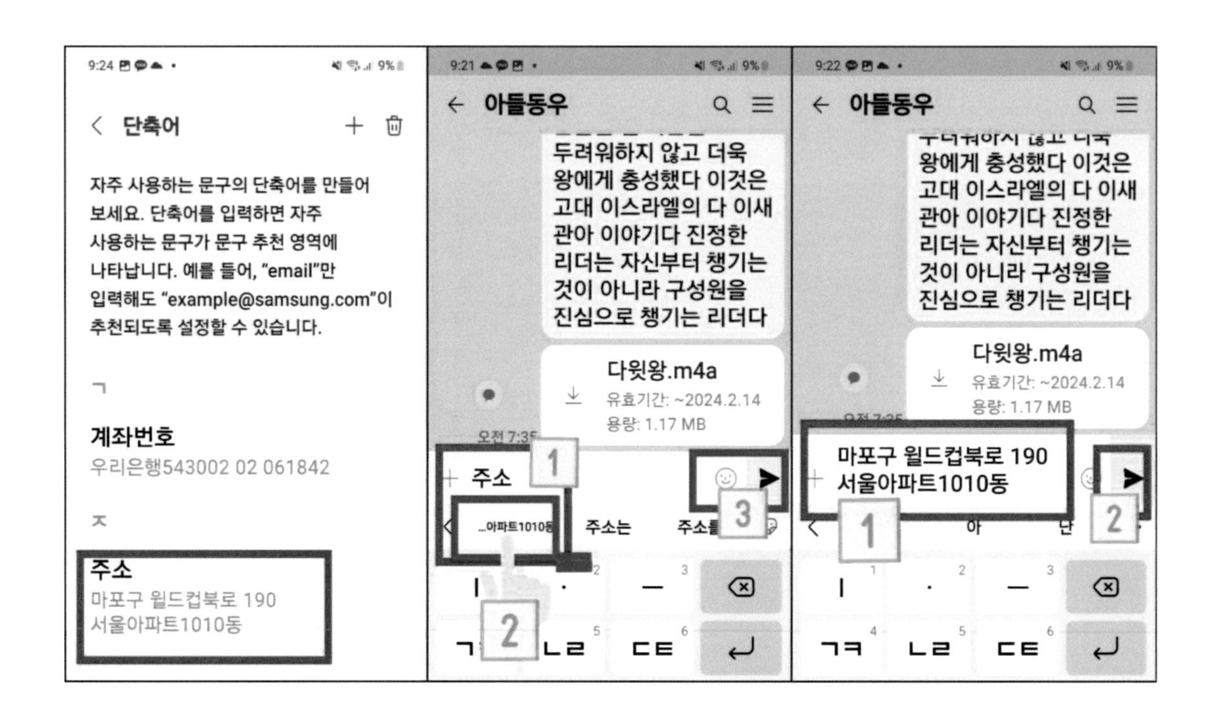

카톡에 전송해 보겠습니다.
문자란에 "주소"라고 적어 봅니다.
하단에 단축어에 입력 해 놓았던 주소가 나옵니다.
눌러 주시고 전송을 하면 됩니다.

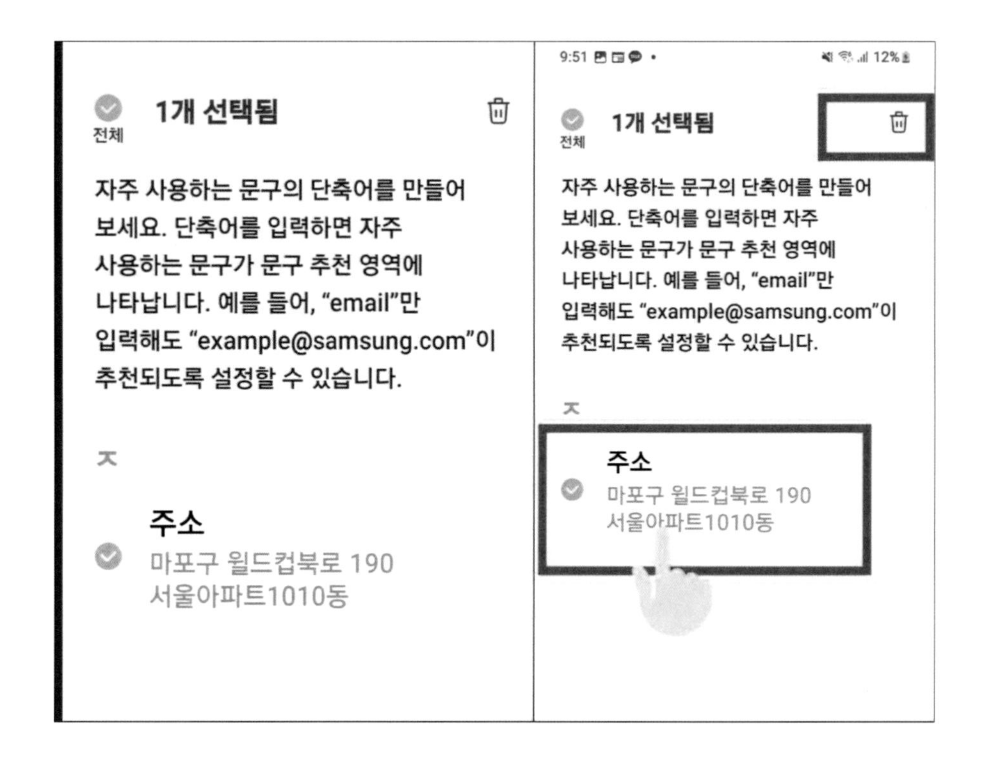

단축어를 삭제 하고 싶으실때는 삭세하고 싶은 단축어에 손가락을 꾸욱 누름니다.
상단에 삭제를 누름니다.

스마트폰홈화면-상단 검색창에 문구추천-문구추천활성화-단축어-오른쪽상단 더하기누름
-단축어/전체문구 입력-추가

일반큔자/카톡문자에 단축어입력후 전송-단축어삭제시-손가락으로 꾸욱 누른후 상단에 삭제 누름

2.키패드에서 한자 입력

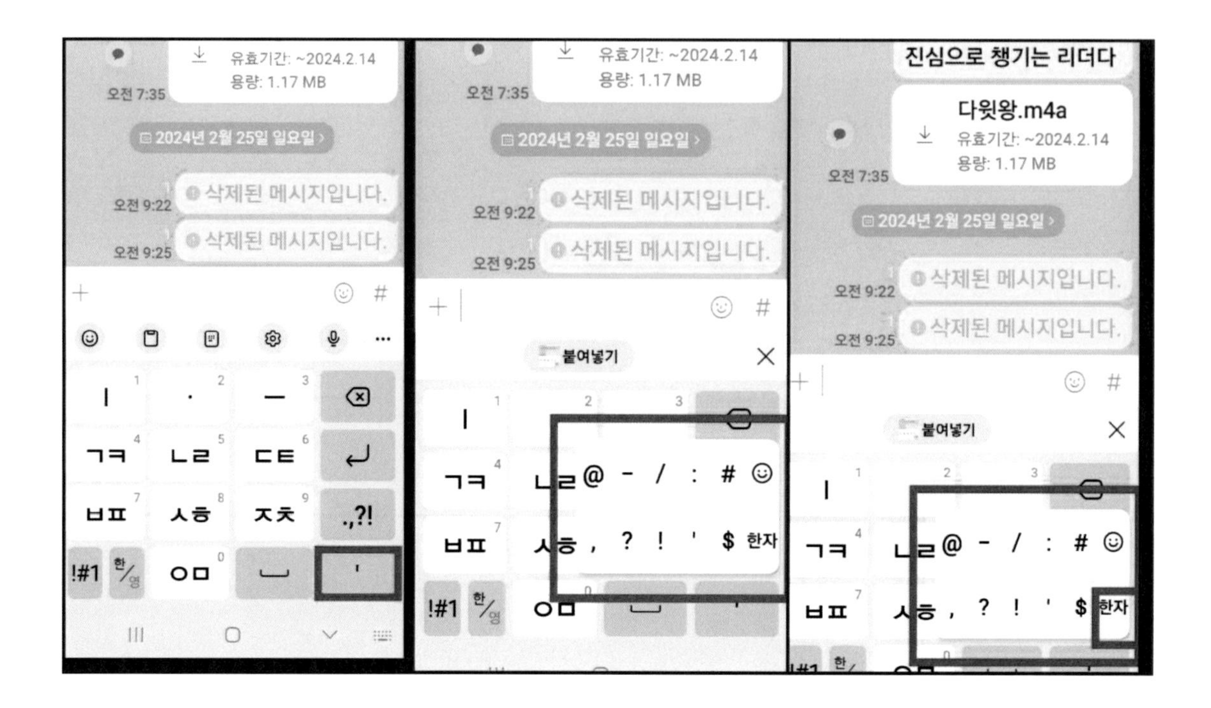

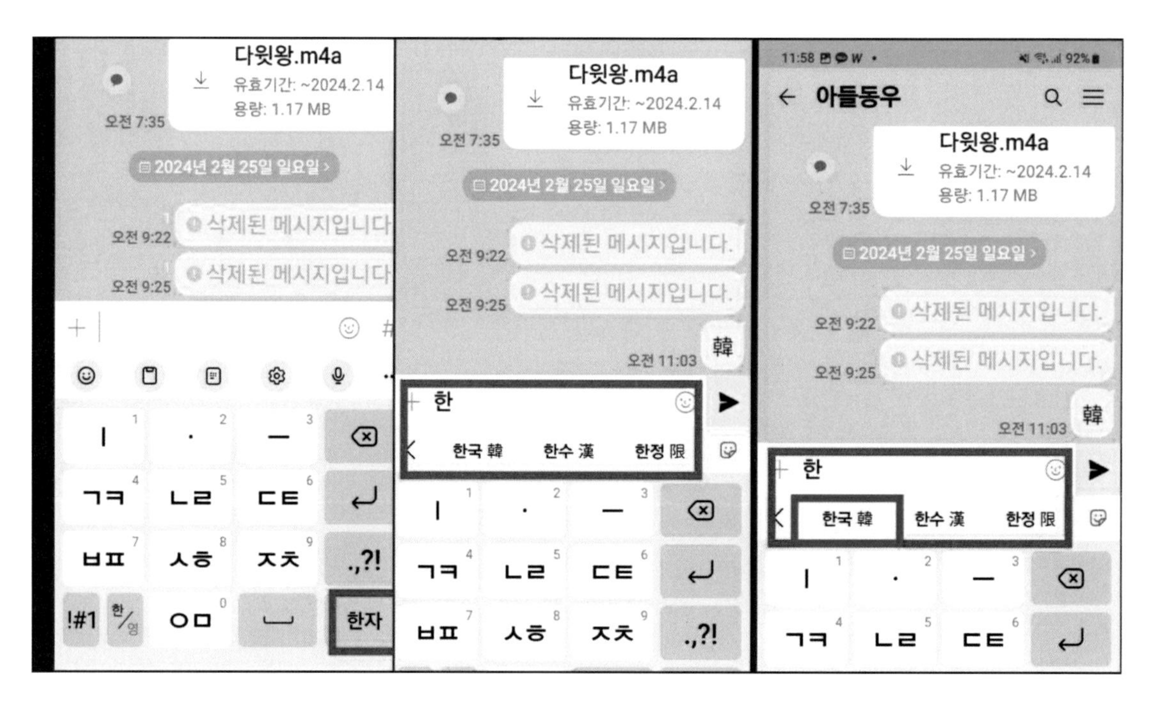

키패드 하단 쉼표-한자-한문골 터치

chapter15. 빅스비 활용

1.빅스비 호출

빅스비 음악 들려줘!
빅스비 오늘 날씨 어때?
빅스비 아들에게 전화 해줘~
빅스비 김치찌게 레시피 알려줘..
빅스비는 우리 생활을 편리하게 해줍니다.
빅스비를 설정해 보겠습니다.

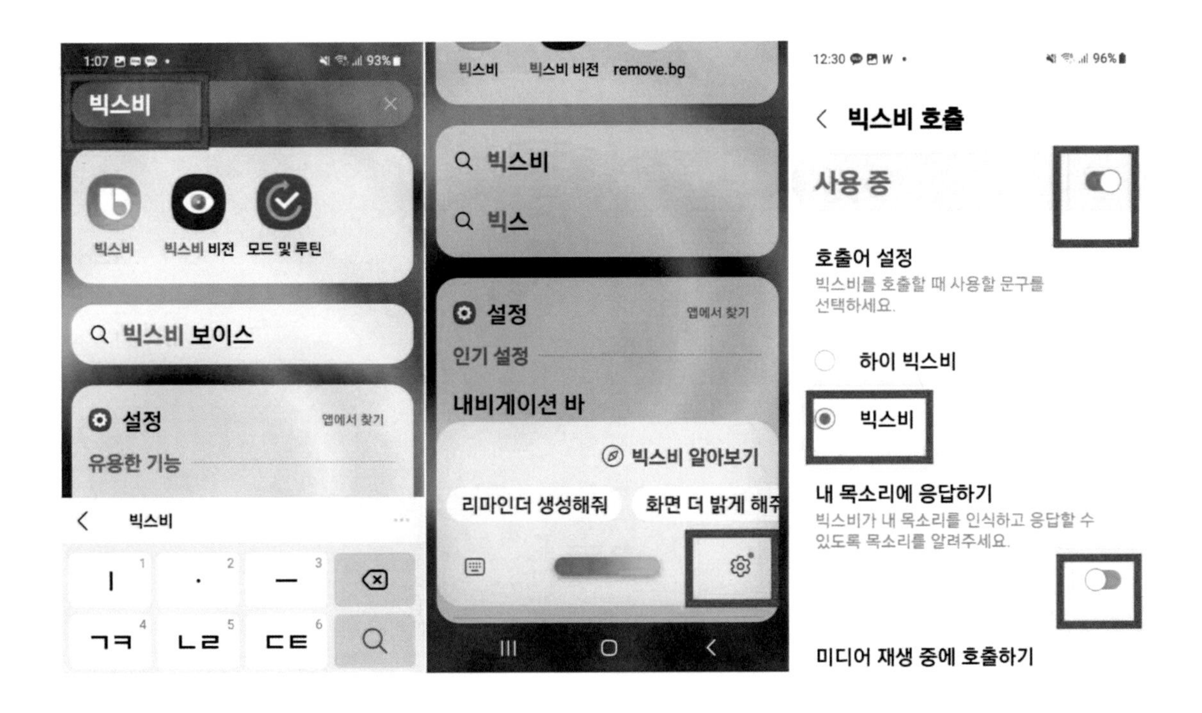

검색창에 빅스비를 검색합니다
하단에 설정을 누릅니다.
사용중으로 설정합니다.

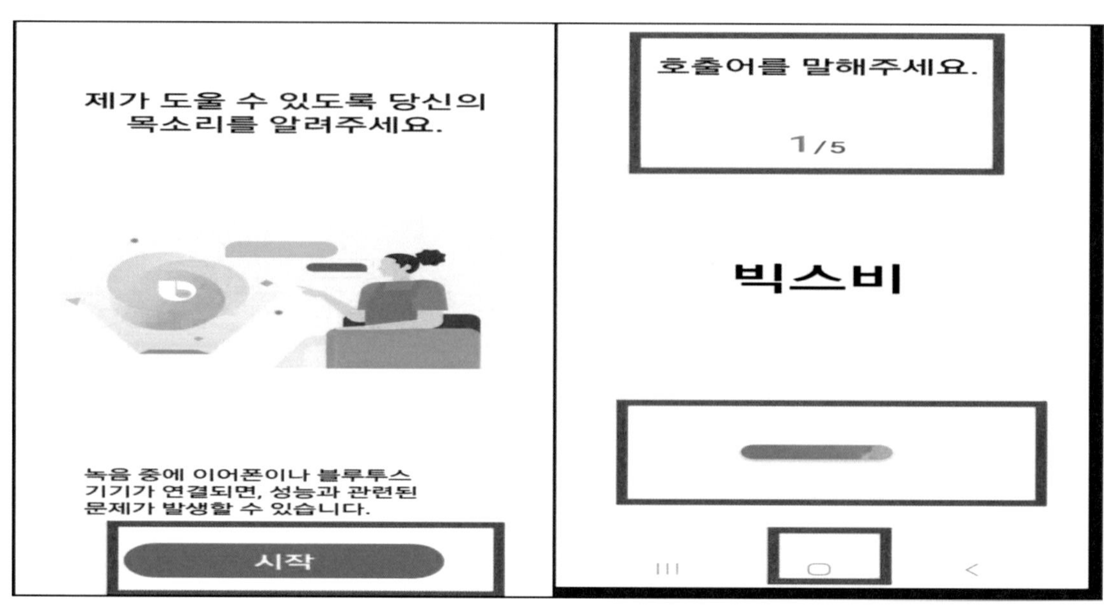

시작을 누르고 빅스비를 이용합니다.

검색창에 빅스비–설정–사용중–시작–원하는 검색을 합니다.

chapter16. 카톡 비밀번호 잊어먹어도 pc에 로그인 하는 방법

1.내 pc에서 큐알코트로 로그인 하는 방법

핸드폰으로 로그인을 하다가 pc로 로그인을 해야 할 경우가 있습니다.
pc에서 할경우에는 비밀번호와 메일을 입력을 해야 합니다.
생각이 나지 않아 어쩔수 없이 새로운 비밀번호를 만들어야 합니다.
비밀번호가 생각나지 않을때도 로그인을 할 수 있는 방법이 있습니다.

pc에 화면을 켭니다.
카카오톡 큐알로그인을 누릅니다.
큐알코드로 로그인 하는 방법이 상단에 순서대로 나와 있습니다.

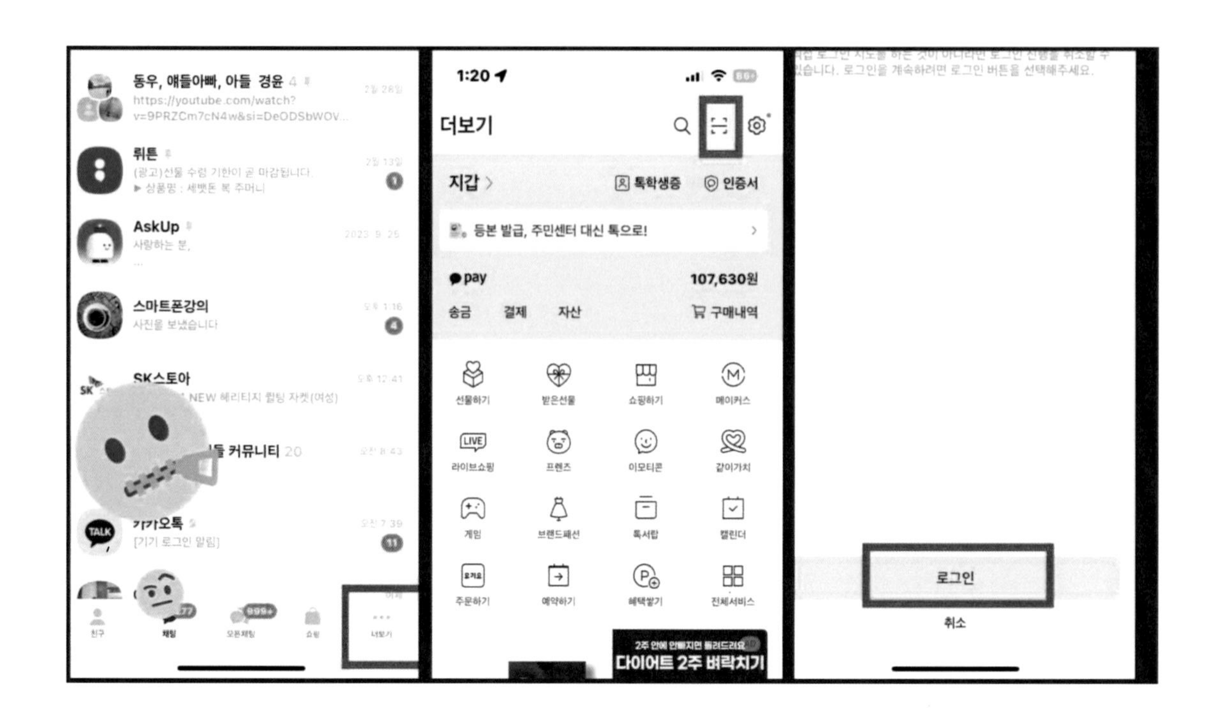

카톡의 스마트폰의 화면입니다.

스마트폰 하단의 더보기를 누릅니다.
오른쪽 상단의 스캔을 선택합니다.
pc의 나와 있는 큐알을 스캔 합니다.
로그인을 합니다.

2.등록되지 않은 pc에 로그인 하는 방법

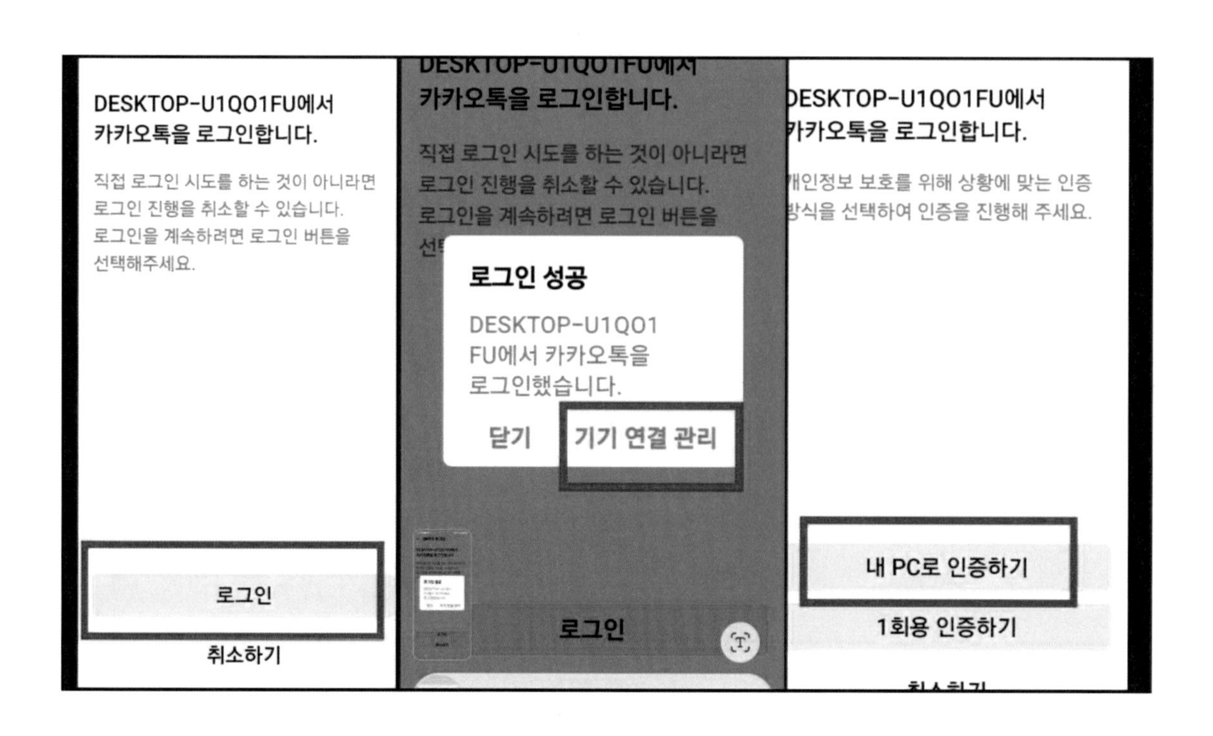

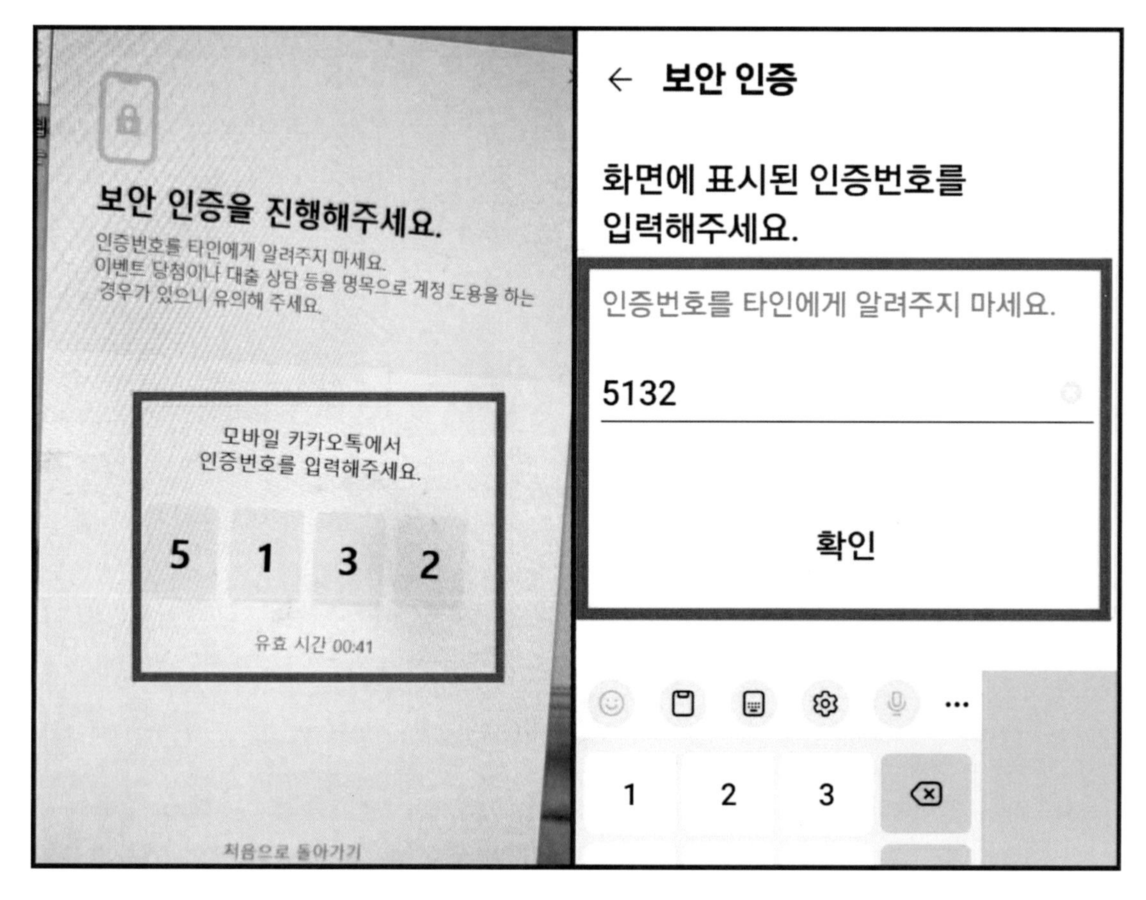

내 pc와 열결 되지 않을시 보안인증이 필요합니다.

에필로그

스마트폰의 기본입니다.
전화 번호를 저장 하고 단축번호를 만들어 내가 원하는 스마트폰 환경 설정을 할 수 있습니다.
항상 새로 산 스마트폰 처럼 최적화를 하여 느려지지 않게 합니다.
앱을 다운 받지 않아도 갤러리의 기능으로 영화 만들기 움직이는 동영상을 만들어 활용 하는 흥미를 느낄 수 있습니다.
갤러리의 앨범을 만들어 자신만의 사진첩을 만들 수 있습니다.
삭제한 사진을 복원 할 수가 있고 위젯을 사용하여 날씨을 수시로 확인 할 수 있습니다.
카카오톡의 다양한 기능들도 유용하게 활용 하실 수 있습니다.
여기까지 배우신 여러분도 이제 디지털 시니어입니다.

5060시니어 스마트폰 활용

발　행 | 2024년 3월 15일
저　자 | 박수연
펴낸이 | 한건희
펴낸곳 | 주식회사 부크크
출판사등록 | 2014.07.15.(제2014-16호)
주　소 | 서울특별시 금천구 가산디지털1로 119 SK트윈타워 A동 305호
전　화 | 1670-8316
이메일 | info@bookk.co.kr

ISBN | 979-11-410-7526-2

www.bookk.co.kr